クロスワード 古今東西

ニコリ

クロスワード古今東西

第1章 暮らし

第2章 食べ物

第3章 生き物

第4章 スポーツ

43種類、どこから解いても大丈夫。

目　次

今宵はどの言葉と遊ぼうか。

この本の遊び方

・この本には、いろいろなテーマを持つクロスワードパズルが43問
　載っています。ここでは、クロスワードパズルの遊び方について
　説明します。

・クロスワードパズルは、カギの文章を読んで思いつく言葉をワク
　に書き入れていくパズルです。たとえば「ヨコのカギ」で「1」
　から始まる文章を読んで思いつく言葉は、ワクで「1」が書かれ
　たマスから始めて右方向に書き入れていきます。「タテのカギ」の
　場合は、下方向に書き入れていきます。

・マスに入るのはカナだけで、1マスには1文字だけが入ります。
　黒くぬられたマスは言葉の切れ目となり、文字を入れることがで
　きません。

・小さい「ッ」「ャ」などは、大きい「ツ」「ヤ」などと同じ文字と
　して扱いますので、大きく書き入れてください。たとえば「キャ
　ットフード」は「キヤツトフード」と入ることになります。

・カギの文章に「→6」「↓13」などと書かれていることがありま
　す。これは、それぞれ「その問題でヨコの6に入る言葉」「その
　問題でタテの13に入る言葉」を表しています。ワクと文章を行っ
　たり来たりしながら考えてみてください。

パズル作者

猪野裕靖　井本雅博　岩本真理　上谷紘冬　内野カー
遠藤郁夫　小川昌孝　奥山光幸　小椋三寛　加藤秀子
加藤真文　金城正史　清見卓　小林裕子　城田篤
新保謙　末廣隆典　高橋宗彦　髙柳優　竹内恵美子
田畑純子　塚田聖　塚田陽太郎　対馬尚行　坪田識稔
中村和寛　沼億　野池悦子　野中亜紀　東田大志
菱谷桃太郎　百海孝弘　前島奬太　前田芳孝　溝口透
三津谷晴子　村上友一　森永麻香　矢野麻里　矢野龍王
山本俊治　飯塚修平　本野しおり

第1章 暮らし

日々の暮らしにまつわるクロスワードです。
言葉のパズルならではの楽しさ、盛り沢山。

1 いい湯だな

お風呂で解いたら、のぼせるかも。

作●白川京一

➡ヨコのカギ

1 シャンプーで洗う。長いと乾かすのが大変！

2 冬至の日にお風呂に入れるユズは、──科の植物です

3 冬至の日にお風呂に入れるユズは、これの一種です

4 円の100分の1のさらに10分の1

5 ムスコではない女の子

6 お風呂でメイクを落として、こんな状態に

7 まだ知られていない

11 これのシャワーを浴びて眠気覚まし

12 ふたたびやって来たー！

14 クイズで出されるもの。正解するとうれしい！

15 こいつは10本足の軟体生物じゃないか？

16 洗面器とはちょっと違う、湯船のお湯をくむときに使うもの

17 防水したスマホをお風呂に持ち込んで、これを視聴しよう

20 年下の男のきょうだい

21 シャンプーで洗う。お風呂でマッサージすることも

23 脱衣所で服を脱ぎながら「フンフンフーン♪」

25 市民から選ばれた議員が集う場所

26 ──になる知識　──にする批判

27 昔は──にお風呂がない家庭が多く、銭湯をよく利用していた

30 お風呂から出たらノドがカラカラだ、

──補給しよう

32 お風呂で温まってグッスリと

34 草津や別府、下呂などが有名。入浴剤もあります

35 雑誌などに付いてくるおまけ

36 シーツともいう布

37 味方ではない相手

38 ドイツ語だと「H」をこう読みます

⬇タテのカギ

1 お風呂場や洗面所に張られている。湯気でくもると見えづらい

3 お風呂上がりの⬇18ケアでボディー──をたっぷりとぬる

6 タコが吐く黒い液体

8 お風呂場は──をおりてすぐ右だよ

9 押してON・OFF。自動給湯器は──1つで足し湯や追いだきができて、便利だね

10 銭湯の入り口でくぐる

12 ネコやノコギリなどがいる

13 一年の──は元旦にあり

14 行司の判定に審判から──がついた

16 湯加減はどうかな、と指などで大体のこれをはかる

18 お風呂上がりには──ケアして乾燥などを防ごう

19 ボックスの中で楽しむ。お風呂で歌って練習する人も

21 ──コンタクト　ドライ──

22 困難などを、うちやぶる

24 針の穴に通す

25 草津や大津、彦根などがある県

1		10	13	■	21		29	■	37	39
	■	11		18		■	30			
2	8		■		26		■			■
■		■	14		22		■	35		40
3			■		23		31		■	
4		■	15	19	■	27		■	38	
	■	12			24		32			
5	9		■	20		28		■		■
■			16		■		■	36		41
6		■		25		33		■		
7		■	17		■	34				

26 からだの中

28 土用の丑の日といえば

29 昔ながらのお風呂場は、壁がタイルでこんな模様になっているイメージ

31 お腹周り。サウナでたっぷり汗をかけば、少しはスッキリするかな？

33 お風呂上がりにパックをしたりする

35 お湯がさめないようかぶせる

36 新商品のジュースなどをお試し

37 ネイル落ち防止のため、入浴時にはめる人も

38 洗面所で口の中をゴシゴシ

39 お風呂場に生えるカビはこれの一種

40 清潔な状態。バスマットは小まめに洗って常にこうなのがいいですね

41 畳やベッドに敷きます

2 今日のファッションは

お出かけ前の悩ましいひととき。

作●さくらぶ

➡ヨコのカギ

1　手首につけるアクセサリーはブレスレット。では足首につけるアクセサリーは？
2　衣装の素材のひとつ。牛とかワニとかブタのものがよく用いられる
3　表面が凸凹になった板。衣類の汚れをとるために用いる
4　⤵28麦などで作る主食
5　厚さ約100kmの大気圏をまとっている太陽系第三惑星
6　関係者であることを示すために服に貼ったり、首から下げたりする
7　Vネックと違って曲線な襟ぐり
9　シャツやパンツの数え方
12　ソックスは左と右が――になる
14　服の着心地に影響を与える五感のひとつ
15　まつげを増やす化粧品
17　仲がよくない様子
18　ブラウンとはこの色
19　模様がない――のTシャツ
21　服や体の輪郭。このコート、――がお気に入りなんだ
24　寒さに対する反射的な動き
27　「M」の形に見える帽子
29　服をたくさん所有している人
31　とても大変、――八苦
33　変化する前の状態
34　めったにおきないこと
35　フィッティングルームですること
36　海辺に吹く風

38　みずから、おのれ
41　職人が腕に――をかけた逸品
43　胸囲を示すアルファベット
44　平和の象徴と言われる鳥
45　袈裟を着ている人のいるところ

⬇タテのカギ

1　手首を拘束する道具は手錠。では足首を拘束する道具は？
4　短髪をチリチリのクルンクルンに
8　ショー　バス　経営
10　恋人に口紅を贈るのは、これで返して欲しいからとか
11　「おしゃれは足元から」とは、これについての言葉
13　襟元にまく布とかヒモ
14　交わらせると赤くなる
15　舞台と客席を隔てる布
16　冠婚葬祭のときに着る服
18　手順を間違えて「縦結び」になってしまう人も
20　「白い」を意味する英語が由来とも言われる衣類
22　間に何も挟まない。シャツの上から――にジャケットを羽織った
23　貴族の正装は――と権威の象徴
25　ぽっちゃり体型の例えにもなる容器
26　日本語を構成する文字のうち2種類をまとめて
28　麦の種類のひとつ
30　袴が正装です
32　服をぶら下げて整理する道具
35　⤵16に合わせて紳士がかぶる

37　プリンセス。絢爛豪華なドレスを着
　　ていそう

39　軍人は服装を見ればこれがわかる

40　奇抜なファッションで注目の──に

41　ねじれてからまること

42　足の裏の裏

43　美しくすること

44　表面だけ作って中身がない

46　衣服を保管する場所もしくは部屋

47　見えないところにもう一枚布を貼っ
　　て補強すること

3 お弁当を作ろう

なにを入れようか悩むのも、また楽しい。

作●小(飛蝗)庵樹

➡ヨコのカギ

1 ご飯を俵や三角の形にしてお弁当に入れよう
2 無骨だけど自然を愛する素朴な人というイメージ
3 北海道を除く日本では本格的な➡24に先駆けてやってくる
5 疲労感あふれる顔色は──色
6 お弁当作りもこの仕事のひとつ
7 お弁当箱の中でおかずどうしの仕切りに
8 お弁当箱を英語で
9 たくさんまたは若干数の晩
11 白ご飯にこれを乗せると日の丸弁当
16 お弁当箱の形で多いのは、楕円型と──型
17 こうしないようにアンガーマネージメントが必要
18 お弁当を食べたあと、5時間目の体育では、ここが痛くなりがち
19 近くのものがよく見えない
20 野外でお弁当を食べるときに使う敷物
21 ➡24を英語で
22 「高」や「辺」などに存在する
23 男親
24 お弁当が特に傷みやすい時期
25 華々しい活躍をしている人
28 正常でないこと。──咲き
29 お弁当といっしょに携帯することが多い飲み物用容器
31 可否を定めること。多数──

32 ➡36製お弁当箱の美しい模様の正体
33 お弁当に──剤をそえて傷み防止に
34 父母のきょうだいの子ども
35 人ではなく荷物の輸送が目的
36 曲げわっぱ弁当箱の素材にもなる樹木
38 陶器の原料となる粘土。──輪
40 ➡29の中身はこれが多い

⬇タテのカギ

1 学校の遠足では、お弁当とは別に持っていけたりする
4 邪魔者を締め出してしまうこと
10 ──構造で保温性の高いお弁当箱や➡29もある
12 都道府県の長
13 幕の内弁当にもあったりする、松・竹・梅のような格
14 アルミ製のシンプルなお弁当箱の色
15 ひいきにすること
17 翻訳・改作などの入らない、ナマの文献
18 仲直り
19 ここで買うお弁当は鉄道の旅の楽しみのひとつ
20 お弁当の──は日本だと5世紀ごろまでさかのぼれる
21 洋風弁当に入れる主食料理
24 ──泥棒　──の馬鹿力
25 上品ぶって気取った様子。──顔
26 建物用の場所
27 アニメなどに出てくる──をかたどったお弁当を作る人も

29 国名コード「CH」で表される国

30 小麦粉とバターを炒めて作る

31 お祝い。豪華な仕出し弁当を注文したりする。

33 お弁当の元祖ともいわれる、乾燥した携行食

35 ↓27弁当を作るには、食材をいろいろな形に——する必要がある

36 人や物がもつ好ましい性質

37 割合のこと。為替——

38 これを忘れたら、お弁当は手で食べないといけなくなるかも？

39 お弁当箱などの、厚みをのぞいた寸法。↔外法

41 原料は芋、カロリー控えめの細い食材

42 お弁当は昼に食べるだけではなく、このような働き方をする人が持っていくことも

4 アウトドアを楽しむ

キャンプをしたり、釣りをしたり。

作●最門雅

➡ヨコのカギ

1 引き潮で遠くの島と──になった。今なら歩いて行けるぞ

2 大物だ、──せずに慎重にリールを巻いていく

3 使わなくなった釣り具は──を逃さず中古ショップへ

4 ──が沈む、ググっと引かれる、ヒット！

5 不通になると心配な便り

6 焚き火にウチワで送り込む

7 地名にもあるホワイトなビーチ

8 イワナ狙いの──釣りだ

13 危うきに近寄らない人格者

15 釣り上げた魚を美味しくいただくには、この処理を手早く行うのが重要

18 ⬇24で──越えの大ジャンプ

20 サイクリングのときに目的地までの──を検索

22 山の夜は意外と冷えるから、薄着だとこれをひくかも

24 エサを魚にどんどん食われて、ついに──が底をついた

26 野外の紫外線対策に

29 夜のキャンプで眺める

30 50cm越えの大物を釣りあげた、何kgあるかな？

32 釣果にも影響する海水の満ち引き

34 何年も使っているフィッシングパンツ、──があちらこちらに

36 霞ヶ浦でバス釣りだ。ここは塩分濃度が基準以下の──だね

38 今日は、釣り大会のテレビ──だ

39 八丁味噌などでつくる

40 柔道で「負けました」の意思表示

43 水中──で美しいサンゴ礁を撮影

45 友人経営の居酒屋、釣り談議で盛り上がり──してしまった

48 甲羅が特徴。動きが遅いので手づかみでも捕まえられる

⬇タテのカギ

1 最新のアウトドアグッズも、何年かたつとこれになるかな

7 大荒れで釣り船が出ない

9 家から釣り場までは、長い──坂だ

10 お日さまの難しい別名。「──玉兎」は太陽と月のこと

11 アジが釣れたので、今日のおかずはアジ──にしよう

12 釣りの本を何冊も購入した…だけ

14 広大な──のゴルフ場

16 釣りのはかえしが有る物が多い

17 ギフトカードなどのたぐい

19 意欲などないさ、どっぷり──につかっている

21 水が蒸発するのもこれ

23 海を英語で

24 冬山を楽しむならスノボかこれかな

25 ──もない＝やむをえない

27 キャンプではる

28 自宅は海のそば。家から釣り場まで──１分だ

31 格闘家が選手入場のときに着ている

33 支払いをあとまわし

1	9	12		21	■	30	37	41	46	50
2			■	22	25	■	38			
3			17	■	26	31		■		■
■		13		23	■	32		42	■	51
4	10		18		27	■	39	43	47	
5		14		■		■	39			
6			■	24		33		■	48	
	11	15	19		■	34		44	■	
■	11		20		28	■	40		49	
7		16		■	29	35	■	45		
8				■		36				

35 あそこの桟橋の──は影になってて、意外な大物が釣れるんだ

37 春アオリが釣れたので、新鮮な──をいただこう

39 コレステロールの減らしたい方

41 農薬やマッチに使われる

42 おにぎりの具のひとつ。原材料は鰹

44 気温が──になる真冬、凍った池でワカサギ釣り

46 釣り大会に参加したよ、結果は──落ちでした

47 昔は川や沼に沢山いた小魚

49 ハイキングで──の鹿を見た。角が立派だったよ

50 ──も味方して、大物が釣れたぞ

51 メスの鱈をさばいて作る、真っ赤な福岡名物

5 お気に入りの文房具

まさに今、手に持っている人も多いのでは。

作●はいカード優さん

➡ヨコのカギ

1 文字を習う。書道の印象が強いが、毛筆だけでなく硬筆もある

2 従来作より大きなたくらみや試みで書かれたり描かれたりする作品

3 ――ケース　――モデル

4 指サックを使うとめくりやすい

5 「思い慕う」こと。わからなければひらがなだけを消しゴムで消そう！

6 バインダーで綴じるための穴がありノートより順番入れ替えがしやすい

7 ペンよりは弱いかもしれない（？）、フェンシングで使う剣の１つ

8 インクを補充することで、百世紀も使えると名乗ってる（？）筆記具

12 『オペラ座の怪人』の作者。カレーの材料を噛んで言ってるような名前

14 人間の動作ができる機械。自動筆記をしたり、部屋の掃除をしたり

16 紙を切る代表的な文房具

20 母子手帳をもらう人

22 取り扱うには処理師試験などに合格する必要がある魚

24 テストの採点でよく用いる筆記具。反対側に青いのがあるものも多い

26 オムライスの上に赤いケチャップで「再度メッキ」と書きましたニャン。並び替えて下さいませ、ご主人様！

27 袋などの厚みの部分。――の付いたクリアファイルは多くの紙が入る

28 国連児童基金。満足な教育を受けられない国の子供へ文房具を送る支援

も行っている

30 文鎮を使って、紙の――を防ぐ

31 何事にも向きと――とがある

33 五角形の前掛けをした昔話の主人公

35 クルミやアーモンドなど

37 作業服。書家の場合は着物や作務衣など和装が多いかな

40 漢和辞典を引くときや姓名判断の際などに数える

43 好き好き大好き超愛してる的な英語

44 組織のトップ。たとえば西南戦争の士族の軍における西郷さん

46 ついつい失敗しちゃうこと

⬇タテのカギ

1 替え芯を入れカチカチ押す筆記具

7 主に五角形の板に願い事を書いて、神社に奉納

9 「油をぬった紙」。わからなければひらがなだけを修正液で消そう！

10 パピルスにも記されている、古代のエジプトの太陽神

11 従来は砂消しで書き直したが、近年は消せるインクも人気の筆記具

13 「運ぶ路」のこと。わからなければひらがなだけ修正テープを貼ろう！

15 ↔他派

17 さぼったりインチキしたりすること

18 海外旅行で、寝不足になったりする代表的な原因

19 手帳や名刺を持ち歩くイメージ（？）の、お給料をもらえる働き人

21 墨を使って黒くしましょ。ただし、

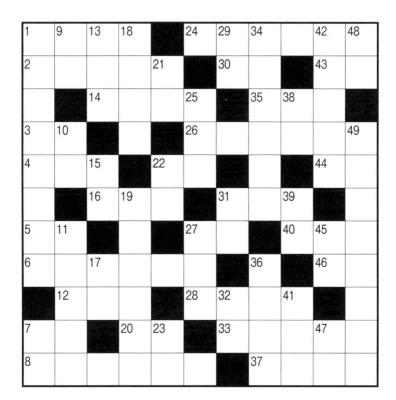

「書くもの」ではなく「履くもの」
22 手紙のこと。毎月23日が記念日
23 あまりの寒さに指先や体の神経が…
25 クリップやピンなど、物が離れない
　 ようにする器具のこと
27 ↔真夏
29 そろばんでは珠を弾いて、電卓では
　 ボタンを押下して表す
31 ハガキや印刷物などの周囲の部分。
　 余白であることも多い
32 ダイアリーの古風な呼び名。今だと
　 真ん中に「っ」が入る
34 生ドラムとは違い、電気信号で音を
　 出します。ヘッドホンをつないで、
　 静かに演奏することも可能
36 小さなメモの紙。予め糊が付着して
　 貼り付けやすいタイプも人気

38 短冊に願い事を書いた笹を飾ったり
　 する、日本家屋の屋外の部分
39 新聞や雑誌に書かれている
41 ぐりとぐら、マナとカナなどが有名
42 パピルスにも記されている、古代の
　 エジプトで造られた巨大三角
45 分度器を当てたりする、図形の隅の
　 突き出た（あるいは凹んだ）部分
47 マークシートの自分の好きな数字を
　 ぬって選べる宝くじ
48 点描画は、小さな——で構成される
49 30度・60度・90度と、45度・45度・
　 90度のものが定番の文房具

15

6 #スマホ片手に

検索してOK。ネタバレ拡散はNG。

作●ぺそぎん

➡ヨコのカギ

1　いつでもスマホで読める漫画
2　引き取ったり吹き返したり
3　「――警備員」は（たぶん）NEETが考えたネットスラング
4　みんな。すべての1、ではない
5　JPEGと違い、PNGは画像の――部分も表現できます
6　――スクリーン広告はスマホの画面が全部埋まって困ります
7　　∧＿∧
　　（ ´∀｀）
　　（　　　　）
　　｜　｜　｜
　　（＿＿）_）
8　ヘアスタイルの一種。本来は「アフリカの」という意味です
11　開発者がソフトウェアに仕込んだ隠しおまけ要素を――エッグと呼ぶ
13　終わりのこと。――の棲み処
15　あまり世間に知られていない、とっておきのエピソード
17　「乙」のあとによく出てくる（？）虫
20　スマホや携帯に対して、自宅の固定電話を「――電」と呼ぶ人もいる
22　文書の作成、表計算、プレゼンテーション作成、が基本の3つです
23　白雪姫と7人の――
24　最小値（あるいは最大値）を探して先頭に移動、を繰り返す並び替え方
25　電柱の上のゴミ箱の正体
27　コンピュータ内のデータは全て0と

1の――で保存されています
28　足――機能を使うと自分のプロフィールを閲覧した人がわかります
29　ゲーム内でボールに捕らえたり素材を狩ったりできる空想の生物
30　飼っているとパソコンのキーボードの上を占拠したがるかも
32　キャッシュレス決済サービスの名称に付きがちな言葉
34　タイルのように並べていくと継ぎ目が繋がっていく――レスな画像素材
36　エナジードリンクは砂糖の代わりに人工――料を使っていることも
37　同点の時は0です
39　――タイトルで閲覧数稼ぎをしているニュースサイトには要注意
41　同じシリーズで低スペックな方を、――モデルと呼びます

⬇タテのカギ

1　ガジェットとも呼ばれる、小規模なソフトウェア。ホーム画面に設置してニュースや天気をチェック
6　――ウォールがあれば不正アクセス対策になる
9　パソコンで絵を描くときに使う、専用↓32と液晶画面がセットのツール
10　コンピュータ――はマスクとアルコールでは防げない
12　クリック連打することがメインのゲームを――ゲームといいます
14　3色になっているRCA端子、音声出力は赤と白、映像出力は

1	9		16	21		26	■	34		42
2		■	17		■	27	31		■	
3		12	■	22					38	
4			18		■	28		■	39	
	■	13		■	25			35		■
5	10		■	23			■	36		43
■	11		19			■	32		■	
6		■	20		■	29			40	
7		14					■	37		
	■	15			■	30	33	■	41	
8			■	24						

16 CPUは内蔵された――の数が多いほど高性能
18 アルファベットみたいな一人称。あるネット掲示板でよく見かける
19 食後にいただく――をデザートと呼びます
21 100万のこと。歌声合成ソフト界隈では――再生されると「伝説入り」
23 パズルが解けたら、本なら巻末と見比べて、ウェブならワンクリックで
25 スマホの――ユーザーは、Wi-Fiがないとギガ不足になりがち
26 データを提供する側はサーバー、受け取る側は
29 パロディやネットスラングにはこれが存在します
31 修復。古い車を新品同様にしたり、破損したデータを復元したり
32 タッチ――を使えば画面上で細かい操作や描画ができます
33 タイムリミットが――ー――と迫ってくる
34 つつましい。――倹約
35 ワンタイムパスワードは1度だけの
38 笑いすぎたら割れるかも？
40 液体輸送船
42 ――網でデバッグはできません
43 鏡写しになる場所、ではなくて、サーバー負荷を分散させるためのもの

おまけ チマタグラム
①「家具」

家具の名前に1文字加えて並べ替え、別の言葉を作りました。
元の言葉と、余る1文字を当ててください。
例：特価ページ（とっかぺーじ）　→　カーペット＋じ

1　サマーレッド
　　（さまーれっど）

2　高い手さ
　　（たかいてさ）

3　旦那に穂
　　（だんなにほ）

4　ニッチ丼だべ
　　（にっちどんだべ）

余る1文字を、1〜4の順に読むとできる言葉は何でしょう？

＊答えはP.111

第**2**章
食べ物

食べ物や料理に関連した言葉をたっぷりと。
つまみぐいもおかわりも、大歓迎なのです。

7 ラーメンもチャーハンも

冷めないうちに召しあがれ。

作●冴戒椎也

➡ヨコのカギ

1 すぐに作れてお手軽な──ラーメン
2 福岡県のご当地グルメの1つ、──ラーメン
3 ──サラして念願のラーメン屋を開業しました
4 ベッドが2つあるホテルの部屋
5 しょっぱい調味料。──ラーメンはスープが澄んでいることが多い
6 食後、歯に挟まったものを取るのに使う
7 「焼き」や「水」などがある、モチモチした皮でおなじみの中華料理
9 スープを入れずに麺をタレで和えて食べる──そば
12 刀削麺を作るときに使う刀は──ではなく調理器具
14 桃太郎に出てくるおじいさんが、山でやっていること
16 チャーハンのことをこう呼ぶことも
18 木材の表面を保護するためにぬる
20 サイのこれは漢方で珍重される
22 ラーメンのトッピングの定番。タケノコが原料です
23 ラーメンのトッピングの定番。ゆでて味を付けたものが多いかな
24 へとへと…薬膳料理を食べて──を取ろう
26 赤道に直交する線のこと。本初──
27 豚の骨。➡2ラーメンのスープといえばこれですね
29 ラーメンのトッピングやチャーハンの具材で使う、豚肉加工食品
31 和食の汁物では鰹節などで、ラーメンのスープでは鶏ガラなどで取る
32 中国語でスープのこと
33 中華料理の定番。ソース味がおなじみですね
35 えらい人へ直接うったえる
36 横浜が発祥、濃厚スープが特徴的な──系ラーメン
38 安全カミソリは定期的にこれを交換
40 味噌ラーメンのトッピングにも使う乳製品
41 新潟県三条や北海道室蘭では──ラーメンがご当地グルメとして人気
43 栓抜きでシュポッ。よく冷えた──ビールは熱々の中華料理によく合う
45 油を流すといわれるカエル

⬇タテのカギ

1 岩石が露出している部分を、ヒトの皮膚に例えた表現
4 ひたすら王手を続ける一人用ゲーム
8 中華料理の魅力はたくさんありますが、紙幅が尽きたので──します
10 中国の人はこの姓が多い
11 パイナップルを入れるかで賛否両論
13 「3分の1」の「1」
15 炊飯器。これを使って炒めずに作るチャーハンのレシピもある
17 ラーメンはスープも具も店によって様々、バリエーションが──に渡る
18 レバーと一緒にこれを炒めた料理はレバ──？　それとも──レバ？

1		11	17		25		33	37		46
		12			26	30				
2	8			22				38	42	
3			18			31	34		43	
	9	13			27		39			
4				23			40	44		
	14	19			35					
5	10		20		32			45	47	
6	15		24	28		41				
16	21			36						
7				29						

19 罪もあればこれもある

21 カッコつけすぎて気にさわる

22 オスではないほう

23 中華料理でも用いる、ある鳥の指先みたいな唐辛子の一種

25 都会の真ん中。副──、新──

27 日帰りではなく──の仕事

28 他の人に使わせてあげてる土地

30 中華料理のデザートの定番。丸くて香ばしい

32 ⊖7 を食べるときにつける

33 ラーメン10杯食べてもスリム体形、彼は──の大食いだね

34 力士が踏みます

35 トウモロコシなどから作る蒸留酒

36 電子メール＝──メール

37 中国の地名が付いた世界三大ハムのひとつ、──ハム

39 木へんに春と書く花

41 ラーメンスープやソバつゆに使う、濃い味の調味料

42 中華料理ではチリソースで炒めたりして食べる海の幸

44 まだほんのり明るくて相手の顔が見えそうで見えない時間帯

46 蒸した鶏肉にソースをかけた中華料理。棒で肉を叩いて柔らかくしたのが由来とか

47 中華料理の定番、──豆腐や──茄子

8 焼きたてのパン

バターとジャム、それにエンピツを用意して。

作●モンチー

➡ヨコのカギ

1 「パンはパンでも食べられないパン
　はなーんだ？」（調理器具）

2 手段や方法。知る――もない

3 これが多いパン屋さんだとウキウキ
　迷う

4 丸型で薄いパン。具材を挟んで食べ
　たりします

5 手袋やグローブなど一切つけていま
　せん

6 遅刻しそうな朝にはこれをくわえて
　走ることも？

7 パンがふくらむのは二酸化炭素など
　これが出るから

9 お正月にかかせない。パンでいうと
　ポンデケージョに似た食感

12 ――に迫った名演技

14 食パンの周辺部

16 溝のある小ぶりな釣鐘型で、外はカ
　リカリ中はしっとりな菓子パン

18 ――麩　――海老　――寄せ

20 ペアになるような文を連ねる表現技
　法

21 食パン作り、生地ができたら――に
　入れて発酵させ、オーブンへ

22 「に」と「し」のあいだ

23 トースターやホームベーカリーの別
　名はパン――器

24 並木が植えられていたりする道。パ
　ン屋さんもあるかな

25 自分の自由に使える時間。パン作り
　を楽しむ人もいるかも

26 「パンはパンでも食べられないパン
　はなーんだ？」（衣服）

27 円錐形で、チョコやクリームが入る
　パン。2文字目はルと書くことも

29 ドイツの伝統的な菓子パン。ドライ
　フルーツなどが入っており、クリス
　マスの時期に食べる

30 神聖な領域を区切るための正月飾り

31 1日の半分、おやつや晩ご飯を食べ
　る方

32 職業や人生の経歴

33 ――折々の旬の果物を使ったフルー
　ツサンド

35 酸味のある赤い粒を楽しむ果実

37 糠に打ち付けても手応えがない

40 「よ」と「む」のあいだ

42 茶摘みする人がかぶる笠の原料

⬇タテのカギ

1 女性、もしくは女性と子ども

4 パンの発酵に欠かせない微生物

8 ――ロール　――スティック　――
　パウダー

10 いろいろな情報の集積

11 ――窯で焼いたピザは味も本格的に

13 社会的な成功者をこう呼ぶことも

15 英語ではウォーターメロン

17 ㋵6を食べるとポロポロこぼれるか
　も

19 時間やスピードの制限

21 パン粉をつけてカラッと揚げた料理

22 フランス語で塩のこと。パン・――

23 ㋵6などにする、上部がアーチ型に

1		11	17		27		34			43
		12			23			35	39	
2	8		18				30			
3		13			24				40	
	9			21			31	36		
4			19			28			41	
		14			25			37		
5	10		20				32			44
6		15			26				42	
7				22			33	38		
		16				29				

なったパン

27 10年後には傘寿

28 ㋐6を落としたときバターをぬった面が——側になりがち?

30 パンに練り込んだり振りかけたりするホワイトな粒

32 パイ生地に卵液を流し入れて焼いた料理

34 睡眠の質が低いと、朝はこれが悪い

36 着物や反物を扱っています

38 お出かけからの帰り道。ついパン屋さんに立ち寄ることも

39 壁を登ったり穴を掘ったりするのにも使ったとされる忍者の武器

41 ㋑23は国名を使って——パンとも呼ばれる

43 フランス発祥のパン。生地とバターを何層にも重ねて焼くことで、サクサクした食感になります

44 砂糖やきな粉をまぶした、給食の人気者

9 新鮮なネタばかり

らっしゃい、どれから握りやしょう？

作●原大介

➡ヨコのカギ

2 イカの寿司などに、食べやすくするための――包丁が入っていることも

3 カトリック教会の重要な儀式

4 千葉県の旧国名の１つ

5 借金したらつく金額

6 助六寿司の中にもいらっしゃる

7 タコは頭足――、エビは甲殻――

8 江戸前寿司の定番。やわらかく煮て、ツメをぬる

10 寿司に添えられることもあるすっぱい柑橘

12 寿司ネタにもなります。モイカ、ミズイカとも

14 旅先で泊まる。旬の海鮮を使った寿司をいただけるところも

15 イシモチガレイともいう、鱗がないカレイ

16 ――寿司は、細長い押し寿司

17 お寿司屋さんの隠語で「あがり」は

18 市販の寿司酢の原材料に、水――が使われていることも

20 江戸前にフレンチのテイストを融合させた、――な寿司レストラン

21 シャリと寿司酢を混ぜる容器

23 日本最北端の市。海鮮も有名です

25 メヒカリ、キンメダイ、アブラボウズなど、海面のはるか下で暮らす魚

26 みそも美味しい甲殻類

29 刺身包丁の原材料

30 ブイ。漁網の位置を知るためつける

31 ――寿司は、富山名物の押し寿司。トラウトサーモンはこの魚の仲間

33 たきぎのこと。――と釜で炊くシャリが名物のお寿司屋さんも

34 お寿司屋さんや料亭の調理場

35 海への玄関口。――町にはおいしいお寿司屋さんも多い

37 赤や白がある。最近は、寿司にこの果実酒を合わせて飲むことも

38 高級寿司店といえば、ヒノキなどの――のカウンター

39 ――シラズとは春夏にとれるサケ。脂がのって美味

40 アユやイワナなどの――魚は昔からなれずしにして食べられてきた

41 ――寿司は八丈島名物。ヅケにしワサビでなくカラシをつけるのが特徴

⬇タテのカギ

1 マグロのこれはトロより脂肪少なめ。ヅケにもする

4 ――ロールは、アボカド入り、海苔が裏巻きのアメリカンな寿司

9 なれずしの別名。塩と魚と飯を漬け発酵させます

11 「飯」の読み方の１つ

12 ゲソは、イカの

13 力強く荒々しい人

14 川をさえぎって捕獲する道具。マスやウナギを取るのにも使います

15 白石と黒石による陣取り合戦

16 お寿司屋さんで➡17を運ぶ際にも使う道具

17 寿司の折詰を片手に帰宅するお父さ

んのおぼつかない歩き方（昭和？）
19 賢いことです
21 トビコならトビウオ、イクラならサ
　　ケや⊖31
22 シャークのスキン。これのおろし金
　　を使うとワサビが香り高くなるとか
24 三重の旧国名。──エビは寿司ネタ
　　としても高級
25 海が荒れること。これが続くと、い
　　いネタが入ってこないことも
26 握り寿司を数える助数詞
27 ランチが人気のお寿司屋さんの前に、
　　長い──ができてたよ
28 寿司を気軽に食べるものへと変えて
　　いった「動き」
30 ムラサキ、バフンといった種類があ
　　り、軍艦巻きなどで出てくる

31 スルメイカやケンサキイカなど地方
　　各々でいろんなイカをこう呼ぶ
32 芯はマグロです
34 立ち食い寿司の店に用意がないもの
35 神様に供えるお酒
36 野暮の反対。江戸前寿司が大切にす
　　る？
37 イカをさばくとき取り除く
38 ブナ科の木。──タケはちらし寿司
　　の具材でおなじみ
39 ──が足りない包丁はなまくら
40 ホタテやタイラガイは、この部分を
　　ネタにする
42 「江戸前」寿司のネタはここでとる
43 巻き寿司作りで使う竹製の道具

10 卵を料理する

栄養たっぷり、煮てよし焼いてよし、生でもよし。

作●Bon.

➡ヨコのカギ

1 卵は使うが大豆やニガリは使わない
2 薄焼き玉子でご飯を包む洋食
3 ──汁　油──　しぼり──
5 火薬を入れた筒を人が抱えて発射する──花火
6 科学。卵をゆでると固くなるのも、「熱凝固」という現象です
7 書類や書籍を読みやすくするため、1ページを2列以上に分けてレイアウトする
9 目をつむってるふりをしてわずかにのぞき見る
12 飲食店、団体客はカウンターよりもこっちにご案内
13 韓国の辛口の鍋
15 古いもの→新しいものへ移る途中
18 味覚の一種。ゆで卵に欲しい味
20 ゆで卵、カラをむいて二つに割ると──から⊖25がこんにちは
22 公園でお城やトンネルを作る
25 温泉卵は白身も──もトロリ半熟
27 がっかり、落胆といった心地
29 刻んだゆで卵を挟んだやつが人気
31 焼くのは片面か両面か、醤油・ソース・塩胡椒など何をかけるか、好みがさまざま
33 Sサイズ、SSサイズといった卵の呼び名。若い鶏が産んだものが多いという
35 一般には鶏肉と卵をご飯に乗せたものだが、鮭とイクラを乗せたものをこう呼ぶ場合もある
36 失敗すると「返り討ち」となる
38 ポタポタ垂れるものを数える単位
40 収入を得るためにする
42 稲の根元に張られているウォーター
45 すき焼きはやっぱりこれの肉がいい。とき卵をつけていただきます

⬇タテのカギ

1 キャッサバから作るデンプン。──ドリンクに入ってるやつはコロコロして生き物の卵っぽい
4 ジャガイモを使う定番惣菜。刻んだゆで卵を混ぜ込むと高級感アップ
8 タラコは──の魚卵の塊
10 ドラミングする霊長目
11 ミンチでゆで卵を包んだ料理
14 袋状にした身の中に米を詰めて炊きあげる。北海道の駅弁で有名
16 ギターやベースのパーツの1つ。伸びたり切れたりする消耗品
17 四方位の1つを英語で
19 オムレツの具にも使える魚肉。缶で買えるので扱いが楽
21 煙突掃除で顔が──だらけに
23 卵のゆで時間はふつうこの単位
24 ──意識　──管理
26 オイスターともいう貝
28 アメリカ航空宇宙局。宇宙飛行士の卵たちが憧れる？
30 容貌のこと。──麗しい
32 神社で勤務。男女雇用機会均等法の例外として、女性のみを採用するこ

1		10		17	23	■	36	41		46
	■		■	18		30	■		■	
2	8		14		■	31	37			
3		■	15		24	■	38		■	
■	9	11		■	25	32	■	42		
4	■	12		19	■	33	39			■
5		■		20	26	■	40		44	■
	■	13	16	■	27	34		■	45	47
6			■	21	■	35		43		
	■	■	■	22	28	■		■		
7			■	29						

とが認められている

34 ——小判がざっくざく

37 おせちの卵料理といえば——巻き

39 煎じ茶の別名

41 卵焼きの中でもふんわりしっとり

43 文語では昨晩を意味する用例もあるが、現代語では今晩のこと

44 果物の甘さの目安として店頭で紹介されたりする数値

46 薄焼き玉子でご飯を包む和食

47 寄席でトリを取れる身分

11 洋菓子をどうぞ

パズルで頭を使ったら、甘いもので糖分補給。

作●SEIKO

➡ヨコのカギ

1 ——ケーキはもともと小麦粉・砂糖・バター・卵を1ポンドずつ使って作っていたのが名の由来

2 吹くと音がなるラムネはこの楽器と同じ仕組みです

3 森や野に住む小さな妖精

4 運動の方向を変える機械部品

5 英語ではcotton candyといいます

6 ウエディングケーキには悪しきものを遠ざける——の意味もあるのだとか

7 砂糖で煮たリンゴを敷き詰め、上に生地をのせて焼いたお菓子

9 江戸の——を長崎で討つ

12 土台にカスタードクリームなどを流しこんで焼く、フランスの伝統菓子

14 ——16世に嫁いだマリー・アントワネットはフランスに焼き菓子「クグロフ」を伝えたと言われています

16 バレンタインチョコは愛の——

18 神を祭る建物のこと

19 モーリス・ルブランが生んだ怪盗

22 さくさくとした食感の「——のひげ飴」は中国の伝統菓子

25 春の——を感じさせる桜のケーキ

26 ㋑36生まれのスイーツ。2021年ごろに日本でも大ブームとなりました

27 ダイエット中に洋菓子店の前を通ると誘惑の——が迫る…

28 絞ると酒粕が残ります

29 スライスしたパンに卵白や粉砂糖をぬって焼いたもの

31 ——フルーツがたっぷり入ったスコーンを作った

34 ——の蹄（ひづめ）の形をしたケーキやクッキーは西洋で「幸せを呼ぶ」とされて喜ばれます

36 パンナコッタの生まれた国

37 アルプスを擁するチョコレート大国

39 フランス語で城のこと

41 英語ではmummy。ハロウィーン菓子のモチーフにもします

44 どんぐりが好物の野鳥

46 上手にできたお菓子はもちろんこれ

47 ——が立つまで卵白を泡立てた

⬇タテのカギ

1 豪華なスイーツ。「完璧」を意味するフランス語に由来する名

4 複数でおはなし。おいしいお菓子とお茶を囲んで——がはずむ

6 ブッシュドノエルはこれをかたどったケーキ

8 ホテル到着時においしい——スイーツが振る舞われた

10 ここではない、別のところ

11 シュークリームの——にクリームをつけて食べた

12 ミとソのあいだ

13 ヨーロッパの先住民族。焼き菓子の「クイニーアマン」は——系言語に由来する名です

15 コンコンとノックします

17 砂糖と牛乳を煮詰めて作ります

1/8		15	■	26		33	40		48
2	■	16	21		■	34		■	
3	11	■	22		30	■	41	45	
■	9		17	■	27		35	■	■
4	■	18	23		■	36	42		49
	12			■	31			■	
5	10		■	28			46		
■		19	24		■	37	43		■
6	13	■	25		32	■	44		50
	14	20	■	29		38		47	
7				■		39			

20 ——チョコを割って湯せんにかけた
21 カシの反対語
23 紅玉の——を抜き、焼きリンゴを作った
24 アップル——はアメリカの定番デザートです
26 ホワイトデーのお返しの定番ですね
28 栗を使ったケーキの代表格
30 スペイン語の１
31 ミシシッピ川の——のような見た目のミシシッピマッドケーキ
32 チュ♡
33 麦芽——　てんさい——
35 マスカルポーネチーズを使う⊖36生まれのデザート
38 スポンジケーキの焼き上がりにこれを刺して火の通りを確かめます
40 プティ・フール・サレは、ワインの——にもなる甘さ控えめの焼き菓子
42 ルークチュップは——の伝統菓子
43 ——墨入りの黒いクッキーを作った
45 教会で神への——を捧げる
46 「二度焼かれた」を意味するラテン語に由来する名の焼き菓子
48 歌劇。この名を持つフランス生まれのチョコレートケーキは層になった断面が美しい
49 美味しくできたか食べてチェック
50 ほろほろとした食感のブールドネージュは——ボールとも呼ばれます

12 和菓子もどうぞ

雅なひととき。行き詰まったら、玉露をひとくち。

作●茶の湯

➡ヨコのカギ

1 ６月の菓子。夏越の祓（なごし はらえ）にかかせない

2 好運の牡丹か萩がここから落下

3 菓子にほんのり利かせることもある しょっぱい味わい

4 落雁や有平糖や雲平細工の紅葉・銀杏・松葉などが店頭に並ぶ季節

5 金沢名物「蜜菓子」の材料

6 秀吉の時代の名がついた焼き菓子

7 岐阜県南部にあたる旧国名。織部焼や志野焼の総称は──焼

10 ──水　──酒　こんな名の飴も

12 社寺で引いて吉凶を占う。割るとこれが出てくる煎餅も

13 酉の市の起源は──豊穣を祝う祭

14 福井県では冬の味とされる丁稚──

16 外郎（ういろう）を名物とする地は数多いが最古の外郎販売店とされる老舗はここに

18 名は竹串に刺した数から

20 参道に並び縁日を盛り上げる

22 ⊖41の雷帝

24 香ばしい皮は「種（たね）」と呼ばれる

25 端午の節句に食す。九州南部では郷土菓子「灰汁巻（あくまき）」をこう呼ぶことも

27 底に敷いたザラメもおいしい

28 NHKラジオの長寿番組『ひるの──』

29 一種は時速30km、二種は時速60kmが法定最高速度

31 家紋や文字を墨書き。菓子商に白地が多いのは砂糖に起因するとの説

33 ⊖27で⊖14をサンドした⊖41の地域の名がついた日本生まれの菓子

35 海の生物の名がついた──餅。固くなったものは薄く切りおへぎに

37 鹿児島の銘菓。本来は↓11だが現在は饅頭形のも多い

39 ──フリー化で皆が住みやすい街に

41 この国の伝統菓子「プリャーニク」は博物館もある

42 甘味をほぼ感じニャいらしい動物

43 訪問に菓子──を持参

44 温泉

⬇タテのカギ

1 下鴨神社の祭礼に氏子が供えたのが始まりとされる──団子

4 雛菓子の一種。名は真珠貝に似た形状から

6 脱穀前の米

8 千歳飴を年の数用意して祝う七五三。女の子は３歳と──歳

9 より小さい形状のものはあられ

11 ⊖14や錦玉羹（きんぎょくかん）などは──菓子といい、切り分けて食す

13 ──運動の別名は憲政擁護運動

14 明日の神輿や夜店が待ち遠しい今日

15 熊谷名菓の五家宝（ごかほう）にたっぷり

17 葵祭のハイライト「──の儀」

19 酉の市で売られる縁起物

21 極めた師から授かる

23 おっかあ、かみさんを古風で丁寧に

25 落語『饅頭こわい』のサゲ「今度は熱い──が怖い」

26 落語『湯屋番』で熊五郎の家の二階に居候

1	8		15	■	25		32	■	42	45
2		■	16	21		■	33	38		
	■	13			■	29				■
3	9		■	22	26		■	39		46
■	10		17	■	27		34			
4		■	18	23			■	43		
■	14				■	35	40		■	
5	11		■	24		30		41		47
■	12		19	■		31	36		■	
6			■	28		■		44		
7		■	20			■	37			

28 なんといっても名物は赤福

29 実物と同じサイズです

30 餡玉の周りに蜜煮の小豆を粒のまま
つけた和菓子。──絞り文様に似る
ことが名の由来

32 故郷に早く戻りたい、──矢の如し

34 大福や餅を成形する際のくっつきを
ふせぐ。打ち粉とも

36 アイスクリームやシャーベット

38 満腹時、甘いものの収まりどころ

40 栗を煮た──グラッセ

42 色合い美しく四季の風物に細工され
上生菓子に

43 東京は雷、大阪は岩

44 ↓46が出なかった

45 核

46 駄菓子屋でこれがでればヤッター

47 銀座の老舗・木村屋總本店が発祥。
味と姿と名前これぞ和洋折衷の極致

31

おまけ
チマタグラム
②「料理」

料理の名前に1文字加えて並べ替え、別の言葉を作りました。
元の言葉と、余る1文字を当ててください。
例：白紙すら嫌（はくしすらいや）　→　ハヤシライス＋く

1　米菓あり？なし？
　　（べいかありなし）

2　三十路椿
　　（みそじつばき）

3　外道指圧札
　　（げどうしあつふだ）

4　府警選び
　　（ふけいえらび）

余る1文字を、1～4の順に読むとできる言葉は何でしょう？

＊答えはP.111

第3章 生き物

かわいい動物や珍しい生き物が大集合です。
飼育係の気分で、解いたり愛でたりしてね。

13 イヌと仲間たち

古くから人類と親しんできました。

作●小見枝まや

➡ヨコのカギ

1 イヌ科の動物

2 イヌ科の動物

3 木のまっすぐな部分。イヌがおしっこかけやすいけどダメですよ

4 受付はこちらです

5 ――の遠吠え

6 日本原産の小型犬

7 イヌ科の動物

8 ワックスのこと。イヌの肉球にぬってあげると保護になります

11 木戸銭払って落語を聴こう

12 美しくする。――委員、――運動

14 金・銀・銅の受賞者

18 もみもみ。されるのが好きなイヌも

20 岩手県の工芸品。ホオノキを削って作る調理器具

22 愛犬と一緒に飛行機にのると、追加でこれがたまるサービスもある

23 足りていないこと

24 丸いもの。イヌよりはネコの名前でありがちかな

26 牧羊犬を使いこなす職業

27 イヌは――でドッグ

28 かつらではないです

29 なんにもない

31 世紀はこの期間で区切ります

33 芝居の休憩時間

35 鎌倉幕府初代将軍は源――

37 ダックスフントは胴長なので、特にこの部分へ負担をかけないようにしてあげましょう

39 警察犬として活躍するボクサーには、頭文字に由来する「――犬」という通称があります

41 麻雀用語の1つ。イヌがおしっこするときの言葉みたい

43 馬にとってのジョッキー

44 イヌの訓練用に、人間には聞こえない周波数の音を出すのもある

45 花粉に悩まされている人が多い

46 役に立たないこと

⬇タテのカギ

1 プランクトンの一種。見た目はエビ

4 上がり―― 玄関――

7 小さく丸いもの。イヌ――、石――

9 おいしい=――な味

10 イヌは毎年予防接種を受けよう

13 高価なものを――のものともいう

15 服の原料になる細いもの

16 くるま

17 小麦粉を水と雑に混ぜるとできる

19 イヌ科の動物

21 労力。人もイヌも――のかかる子ほどかわいいとか

23 天ぷらに似た西洋料理

25 ――出版 ――診療

27 鯛を抱えた福の神

28 イヌ科の動物

30 靴のつま先のこと

31 ↓1を餌にする海の大型哺乳類

32 ごきげん取りにする

34 大晦日の夜に鳴る――の鐘

36 奈良にたくさんいる

38 イヌを散歩させるときはハーネスや
　　──輪を付けましょう
40 地球の面積の約３割を占める
42 特殊な力。イヌより鼻がきく人とか
44 姓名の名を⊖27でいうと
47 おきて　きまり
48 ヒレが酒の肴になる
49 イヌ科の動物かな？
50 イヌ科の動物です、まちがいなく

14 ネコ好き集まれ

愛くるしい姿を思い出す。

作●Asaka

➡ヨコのカギ

1 「飼いたい動物の人気——を発表！」ネコは上位に入ることが多い
2 エビやカニを殻つきのままぐつぐつ
3 厳しい指導。やりすぎるとパワハラ
4 ネコの寝姿は——型でこんもりとしていてかわいい
5 よく「カリカリ」と呼ばれるキャットフードはこういう形状
6 生活。ネコを飼うと——が豊かに
7 玉鋼を鍛えて作る武器。「猫丸」という銘を持つものも
9 ネコがいたずらして部屋が滅茶苦茶。思わず言葉を失い——とした
11 百人力の10倍
13 ネコの食事は——の高いものを選びましょう
15 スペインの画家。ネコ科の動物・オセロットをペットにしていた
16 ネコの品種の1つ。エジプトの遺跡と同じ名前
19 鶏の揚げ物、衣はパン粉
21 ネコの遊びは——的な狩り
23 将来の夢は愛猫と一緒に——百年の古民家で老後を過ごすことです
25 てこといえば支点・——点・作用点
26 ネコの好物？な、鶏の翼の部分の肉
27 猫——は甘やかすこと。猫を取ると人間同士の➡3をさす場合も
28 詰めすぎ禁物、ネコ動画で息抜きだ
30 ネコはもちろん動物すべてに接する時に必要な、優しい気持ち
33 空気を吐き出す生理現象。ネコも食事や毛づくろいのあとにします
35 大見出しのわきに付ける
37 ネコの品種・マンチカンは、——が短いのが特徴
38 家じゅうに散らばるネコの——、こまめに掃除しよう
40 入口と出口が輪っかになっているもの。ネコ用トンネルもこれ
41 車などの後ろの部分

⬇タテのカギ

1 フランス語で「ネコの舌」という意味の、サクサク食感のお菓子
5 昆布などを刻んで味を濃くしてごはんのおともに
8 粒々を搾って作る香ばしいオイル
10 ネコを公共の乗り物のここに乗せるときはケージや追加料金などが必要
12 保護猫活動をする市民団体を寄付金などで
14 役目、つとめ。——をとかれる
15 ネコのじゃれる姿は躍動的。まるで——のように見えることも
17 裁縫の材料。ネコの誤飲に注意
18 「ネコのお世話は大変…」とこれをこぼしたくなるけどそれでもかわいさが勝つ
20 マキやチラシじゃないお寿司
22 ネコがこの状態のときは動物病院へ
24 特に優れており将来有望な若者
26 地面に近いところ。ネコは大ジャンプしても鳥よりは——飛行かな

27 最近のネコ缶はこれ無しでも開けら
　　れるやつが多い
28 ネコには価値がわからない？
29 ネコがここを洗うと雨というけど、
　　だとしたらほぼ毎日雨なのでは？
31 ネコ好きがネコをお題に五七五七七
32 これが悪いネコ「シャーッ！」
34 漢字で「枸杞」と書く木の実
36 次の──を探して棋士が盤面を凝視
38 魚屋さんの店頭で泥棒猫がやりがち
39 エプロンなどに縫い付けるワンポイ
　　ント。ネコの柄にしようかな
42 壁越しに爪を研ぐ音、さては──に
　　ネコがいるな
43 相手の言葉尻をとらえて非難するこ
　　と

15 海水魚も淡水魚も

水中でたくましく生きてます。

作●ヤンマー部隊隊長

➡ヨコのカギ

1 白とオレンジ色が鮮やかな海水魚。➡22と共生します

2 希少なもの。魚でいえば稀にしか捕獲されないメガマウスザメとか

3 小さい魚で作った煮干し

4 氷を貯蔵しておくための部屋

5 ご飯、食事。漁港で漁師──を食べたいな

6 寄り添って泳ぐ大小の鯨や鯱は

7 力士が所属します

8 烏賊の一種。地方によってムラサキイカとも呼ばれますが、標準和名は違う色が付く

9 鮪、鰯、鯵、鱒、鮫、鰹、鰻、鱚、鰆、鰍、鯨、鱸、鱈、鯰、鱧、鰤、鮒、鯔、鯒、鰊、鯨に共通する部首

11 貝殻は最大2メートル近くにもなる

14 お腹を上にして泳ぐサカサナマズを見たら「上下──だ！」と驚くかも

19 クルマ　ボタン　サクラ　テナガ　シバ　アカザ　ウチワ　セミ　クマ　シラ　ヤマトヌマ　ホッコクアカ

20 お祝いの席には尾頭付きで出される

22 触手をゆらゆら広げる刺胞動物

24 体内で卵を孵化させて稚魚を産む卵胎生の海水魚。漢字では「海鰤」

25 かず。奇──、偶──

26 淡水魚をかたどった、空を泳ぐ魚

27 丸っこい姿のフウセンウオやホテイウオは──ウオ科の魚

28 音信。手紙を送っても──が無い

30 鉛筆や消しゴムを入れます

34 銀行。漁業協同組合などによる金融機関は「JFマリン──」

36 ふしぎな術。蛸は一瞬で体表の色を変えて、まるでこれみたい

37 管を流れる流体の流量を制御する弁。水槽の配管にも取り付けられます

40 並んだ状態。➡19の中には──を作って海底を行進するものもいます

42 名を捨てて──を取る

⬇タテのカギ

1 左⬇4に右──

4 左──に右⬇1

6 チョウチンアンコウの──はチョウチン（発光器）を持っていません

8 水の生き物を観察する施設を英語で

10 子持ちがおいしい魚。よく似たカラフト──という魚もいます

12 （英文）He likes fish.
（和訳）──は魚が好きです。

13 鳴き声が美しい昆虫。アロワナなど大型熱帯魚の生き餌にも使われます

15 「──虫」は水中で本当に光るけど、「──貝」は実際には光らないそう

16 ロシア語で魚卵。日本ではおもに、鮭や鱒の卵を指します

17 漢字で「奴」。色鮮やかなソメワケ──、サザナミ──という海水魚も

18 魚の胸びれ周辺の部位。脂が乗って美味しいです

19 敵の視界を遮るけむり。蛸が吐いた墨は、水中で広がって、これの役割

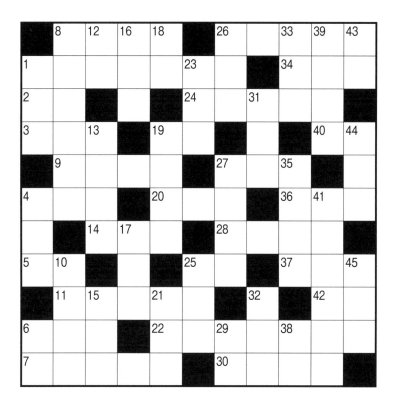

をします

21 レフト　センター　ライト

23 愛知県北西部から↓29県南西部に広がる——平野

25 海水にも淡水にも含まれる元素

26 ちょっと噂をここに挟んだんだけど

27 ——イカ、——グソクムシなど、大型の生物の名前によく使われる

29 県の魚は鮎で、淡水魚専門の水族館「アクア・トト——」もあります

31 子を多く産むこと。マンボウは一度に３億個の卵を産むとの説がある

32 実力差のある相手と試合するときに設定される——キャップ

33 野に咲くフラワー

35 鯖の一種。腹部の黒くて細かい斑点模様が特徴

38 日本有数の水揚げ量を誇る銚子港がある県

39 日本では浅蜊や蛤を使うパスタ

41 愛媛県の名物「じゃこ天」の原料になる魚。共生するバクテリアによって発光することから名前が付いた

43 海や川と違って、魚が住めない場所（キノボリウオなら住めるかも？）

44 具合、事情。海底の藻場は、魚が隠れるのに——のいい場所です

45 絶滅危惧種としてニホンウナギやムツゴロウも掲載されている、レッドデータ——

16 鳥とたわむれる

いろいろな名前の鳥がいるんですね。

作●もしや野中

➡ヨコのカギ

1 まるで魚のような名前をした、カモの仲間。魚は「鰺」ですが、こちらは「味」と書きます
2 ドレスなどのひらひら
3 ヒナに──うつしで食事を与える
4 骨も肉も黒っぽいニワトリの品種
5 SNSでおなじみ「見たよ」の証
6 カリッとかじれるお菓子
7 いつも空っぽ？…な鳥
11 はっきり示している
12 鳴き声が「仏・法・──」と聞こえる鳥、じつはブッポウソウではなくコノハズク
14 不明のお金は怪しい
16 ストップをかける人
17 物と引き換えでお金を貸す
21 悪くなさそうなカモ
22 頭部の黄色い模様を花に見立てた鳥
24 桜も桃もリンゴも──の植物です
26 卵で生まれる鳥には存在しないもの
27 赤ちゃんを運んでくる鳥
28 干されることが多い10本足
31 にぶいこと。アホウドリは皆これ？
33 発砲しそうな鳥
35 まるで魚料理のような名前をした、カモメの仲間。魚と同じく「鰺」と書きます
37 夢なのかこれなのか幻なのか
39 絵のない画家の工房？…あ、鳥の名前なの
41 ロースやプレスがある食肉加工品

⬇タテのカギ

1 北海道に生息する、天然記念物の猛禽類。漢字では「島梟」
5 ３カ月に１回発行される雑誌
8 物の道理をわきまえた──的な態度
9 馬に似た鳴き声が名前の由来。──姉妹という歌手も
10 家畜化されたカモ
12 ──のない人は無駄なことをしない
13 英語だとモナーク
15 物語の最初。破・急とセットです
16 サーカスなどで面白いことをする
18 企みのために組んだグループ
19 右側のウイング
20 ぎんなんのなる木
22 鳴いて撃たれる鳥
23 花──　札──
25 パーム油の原料になる
26 嘴がこの形に似たサギもいる
27 カチコチになる（？）合唱団
29 本家とどっちが古い？
30 渡り鳥は長距離を
32 引っ越しがニュースになる鳥
34 鳥も沢山のせた（はずの）箱舟の主
36 胆汁を蓄える
38 一般的なサイコロには６個ある
39 赤字でもなく黒字でもなく鳥の名前
40 オオヤモリの別名
41 マジシャン御用達の鳥
42 山などがそびえたっている様子
43 頭部に特徴がある鳥。ボクサーの愛称として知ってる人も多いかも

41

17 不思議な僕ら

パズルにすると、もっと不思議。

作●あさり

➡ヨコのカギ

1 僕は体色を変えることができるよ。長い舌でペロリとエサを食べるんだ

2 このパズルの「僕」は爬虫——か両生——

3 文章の中に別の言葉を織り込む遊び。例えば
いわに似た
グリーンの体
あめを待ち
なかまを探す　僕は誰？

4 マニピュレーターともいう、人間の手の代わりをする機械

5 ——の道は➡24

6 ドラッグ

7 非常につらいがんばり。——惨憺

9 ——につき年賀欠礼します

12 労働者が団結して操業ストップ

14 漫才師や落語家は多数所持

16 僕の名前は家の番人のように壁に張り付いているからついたよ

18 昔と今のこと。——未曾有

20 ↓1は子どもの頃はこれで呼吸する

22 ➡25の背中に乗って水の中の城に行った人

24 舌をチョロチョロ出したり、毒を持ってる仲間がいたりするせいか、僕が苦手という人は多いね

25 僕が頭や手足をしまう甲羅は、肋骨が変化したものなんだ

27 秋に出回る刀のような魚

28 僕は敵につかまりそうになると、自分で尻尾を切って逃げるんだ。再生するからといってむやみに切ると弱ってしまうよ

29 何もしないこと。——徒食

31 ザリガニ釣りのエサにするオツマミ

32 アメリカを流れる大河。——アカミミガメという外来種もいる

33 徹夜

34 自然に起こる異変。天変——

36 僕は日本には野生の状態でいることはないよ。水から目だけ出して獲物を待つよ

38 喉と肺の間にある

40 「東洋のラスベガス」といわれる中国の特別行政区

43 現在の愛媛県

45 ウラジロなどの植物

⬇タテのカギ

1 僕はジャンプが得意だよ。絵本やアニメでは可愛い扱いなのに、現実の僕を見ると悲鳴を上げる人が多いよ

3 僕は↓1の子どもだよ。足→手の順で生えて大人になるよ

8 僕は➡16と間違われることがあるけど、彼は爬虫➡2、僕は両生➡2だよ。井戸にいることから名前がついたよ

10 意志が強くないこと

11 サイン——　ボーダー——

13 ——式の暖房は、夜間を利用することで電気代を安く抑えられることも

15 専門——　得意——

1		11	17		■	28		37	■	46
	■	12		■	25		■	38	42	
2	8	■	18	21		■	33			
■	9	13			■	29		■	43	
3			■	22	26			39		
	■	14	19	■		■	34		■	
4	10			23		30	■	40	44	
5		■	20		■	31	35			■
6		15		■	27			■	45	47
7			■	24		■	36	41	■	
	■	16			■	32				

17 メンズ用のバス
19 群を抜いていること
21 これがほとんどない砂漠地帯で生きる→28や→24もいるよ
23 ここがふくらむ↓1もいるね。→24はどこまでがこれなんだろう
24 ふちのこと。畳の——
25 アルミのやスチールのがある
26 ——階段は→24が巻きついたみたい
27 曲の一番盛り上がるところ
28 ——・はね・はらいは筆遣いの基本
29 僕たちがよくエサにするよ
30 「土産」とかいてミヤゲと読まずに
33 暗くなるのを待つこと。黄色い可憐な花が咲く——草
35 服の組み合わせを変えて着ること
37 カンカンになること
39 僕は海に住む→25だよ。べっ甲製の装飾品は僕の甲羅で作られるよ
41 巻貝の一種。タ——、アカ——
42 ——が悪い ——をうかがう ——を変える
44 田んぼの用心棒
46 僕は名前から魚と間違われることがあるけど両生→2だよ。オオ——は「生きた化石」とも呼ばれるよ
47 僕らが服のように皮膚を脱ぐこと

18 各馬一斉にスタート

難所もあります。手綱をしっかり持って進もう。

作●茅ヶ崎うずら

➡ヨコのカギ

1 走る芸術品とも言われる品種。現在中央競馬で走っているのは、ほぼ全部これです

2 ──たび ──星霜

3 オウムの一種。白い体に黄色の羽冠

4 黒船がやってきた横須賀の地

5 やらかした

6 馬と人馬一体となる人。ジョッキーとも言います

7 まがりくねる。──曲折

8 馬の視野はとても広いですが、さすがに──は見えません

11 本名以外の呼び名。皇帝・英雄・芦毛の怪物・砂の女王など──をもつ競走馬はたくさんいます

14 やりかた。姑息な──

15 中国で行われていた官僚登用試験

17 足どりがしっかりしてない。馬の場合は跛行と言います

19 ジョージア・──はアメリカの画家。馬の頭蓋骨をモチーフにした絵もあります

20 小ぶりなバッグ

23 夜更かしした──は起きるのがつらいな

24 サナギから蝶に華麗な変身

26 コーヒー── ウインド──

28 レースに出る馬。中央競馬では、原則木曜の夕方に確定します

30 料金。グリーン──

31 手塩に掛けて育てた馬が優勝……──が緩んで涙ぽろぽろ

32 馬の毛色の1つ。ブルーじゃなくて真っ黒

34 ディック・フランシスの競馬シリーズ第一作のタイトル。競馬新聞では◎の印がつきます

37 物を運びます。かつては馬そりでの──も行われていました

38 ばんえい競馬に出る馬。ばんえいは現在帯広競馬場だけで行われています

40 ヘンじゃない方

42 マーケットやフェア。馬の──もあります

43 ──座は、半人半馬のケンタウロスの星座と言われています

45 立ち食いもある麺類。競馬場でも食べられます

⬇タテのカギ

1 いちばん強い。競馬史上──の馬といえば、ディープインパクト？ シンボリルドルフ？ シンザン？…

5 日本在来馬の1つ。宮崎県にいます。天然記念物に指定されています

9 ㋡6が転落

10 新郎新婦にお米をかける──シャワー。──シャワーという名前の菊花㋝12馬もいました

12 皐月── 秋華── 天皇──

13 首から肩にかけて生えています。きれいに編んでレースに出る馬も

15 やわらかごはん

1,9			16	21	25	■	34		41	46
2		■	17			29		■	42	
3		13		■	26		■	38		
■		14		22	■	30	35		■	
4	10		■	23		■		43		
■	11		18		■	31	39		■	
5		■	19		■			40		47
■	15		■		32	36		■		
6	12		■	24	27	■	37	44		
7		■	20		■	33		45		
8		■	■	28						

16 集団で移動するのでタビネズミとも呼ばれます

18 一度寝たのに目が覚めちゃう

20 人馬一体で闘うスポーツ。スティックや球を使います

21 五千円札の肖像は令和6年7月から──梅子に

22 厩舎を運営して馬のトレーニングなどをする人。テキと呼ばれることも

25 音楽のイロハ。──の歌

27 ──歌は、贈られた歌に答えた歌。──馬は、コースに出てきた馬が軽く走ってウォーミングアップすること

29 和名はムラサキウマゴヤシ。その名の通り馬が喜んで食べます

33 よく降る季節

34 地球もこれの1つ。馬の額にある白い模様もこう呼びます

35 ──面談

36 でこぼこ。──のある地形

38 障害馬術で飛び越えるもの

39 へらすこと。電力──

41 ──レースはその日いちばんのレース。中央競馬では大体11レースに行われます

43 万年筆の中味

44 やらかした

46 最初にする人

47 走りやすい状態のコース。ぬかるんで走りにくいのは重馬場

おまけ
チマタグラム
③「動物」

動物の名前に1文字加えて並べ替え、別の言葉を作りました。
元の言葉と、余る1文字を当ててください。

例：ガールと缶（がーるとかん）　→　カンガルー＋と

1　足やマニラ
　　（あしやまにら）

2　イオンセット
　　（いおんせっと）

3　曲げろ主
　　（まげろあるじ）

4　ヒント肥満
　　（ひんとひまん）

余る1文字を、1〜4の順に読むとできる言葉は何でしょう？

*答えは P.111

第4章
スポーツ

アタマを動かしてマス目といざ、真剣勝負。
ページをめくれば、試合開始のホイッスル。

19 エースで四番

解けたあなたにヒーローインタビュー。

作●チェバの定理

➡ヨコのカギ

1 投手の代表的指標。投球回と自責点によって計算されます
2 ベース。一、二、三、本があります
4 投手が特に痛めたくない身体部位
5 ⬇18をよく打つ選手をこう呼ぶことも
7 有名選手の年俸は——くらいかな
8 投手が立つ小高い場所
10 野球の⬇1にも使われる弾力に富んだ素材
12 伝説上の大陸の1つ
15 男の人の美称。織姫と——星
17 フォア⬇1もデッド⬇1も
19 長嶋茂雄から見た長嶋一茂
21 ドラフト1位指名が競合したときの決め方
23 高校球児たちが目指す場所
25 打率がトップの人を「——打者」と言います
26 前もって行う準備
27 ⬇3の反対で、相手のチーム
29 自分のことを深く知る友人
31 呼んで来させること。監督にされると選手は緊張する？
33 ルーキーだからこそとれるタイトル
35 ドームでない球場は、これの悪化で試合が中断することがしばしば
37 ドジャースの本拠地・ロサンゼルスの略称
38 振ったのに⬇1に当たらない
39 捕手のとれないところに投げること。

41 走者にとっては進塁するチャンス
41 バファローズのバファローは、この動物の仲間
43 木を英語で
44 ⬇1へのかけ方によって球種が変わります
46 ドーム球場は覆われています
50 畑を耕す道具
52 送りバントや⬇14をまとめて

⬇タテのカギ

1 野球の試合開始はプレー・——
3 ➡27の反対で、自分のチーム
6 襲ってくる眠気
9 これから。——気をつけます
11 プレーを止めたいときに審判に要求できます
13 ➡38したバットが切ります
14 外野フライなのに1点が入る
16 ノーアウトのこと
18 これぞ野球の華、本塁打のこと
20 試合前に発表される——先発投手
22 NPBは日本野球——の略です
24 先生が休みのときにこうなることも
26 ——投げ＝サイドスロー
28 高校球児が➡23のを持ち帰ります
30 各チームともこれを目指してペナントレースを戦います
32 ナイトとも呼ばれる
34 日本のプロ野球一軍は試合数×3.1が——打席数です
36 ブドウのような赤紫
39 ただアウトになっただけ

1		14	20		28	■	38	42	48	53
	■	15		■	29	34	■	43		
2	9	■	21	24	■	35			■	
■	10	16	■	25	30		■	44	49	■
3	■	17	22		■	39				54
4	11	■	23		36		■	50		
5		18	■	31			45		■	
■	12		26		■	46	51		■	
6	■	19		37	40	■	52	55		
7	13	■	27	32	■	41	47	■		
8		■	33							

40 打率や⊖1など、野球選手の成績は
　　──で表されるものが多い

42 守備側が↓1を落とすこと

45 目に見えている範囲

47 バットの──でとらえると長打に

48 出世魚の代表格

49 人の道にかなうすばらしい行い

51 万能　下仁田　九条

53 走者が⊖2から離れて次をうかがう

54 ──投げ＝オーバースロー

55 打率＝安打数÷──

20 サッカーしようぜ！

目指せ言葉のファンタジスタ。

作●一ノコト

➡ヨコのカギ

1 仕事のプロジェクトを始めるときにも使われる、サッカーの試合開始

2 卵と牛乳と砂糖がベースのやわらかデザート

3 勝利を目指して――の残らぬように試合に挑むぞ！

4 ボールが欲しいときには味方に対して。判定が違うときにはレフェリーに対して

5 魚介類は海の、きのこ類は山の

6 「I got it!」→「わかった！」のように、文章の意味を捉えて置き換え

7 ときには試合の妨げにもなる厄介な観客

9 家の支出入を記録

11 何かがあったら毎回毎回

13 サッカーボール内部にも使われているゴム素材

14 サッカーでは1930年から行われている世界大会

18 ピッチやフィールドともいうサッカーを行う場所

19 対戦相手のホームスタジアムに乗り込んで行う試合

21 足や胸などでボールを受ける動作

23 チームを盛り上げるキャラクター

26 ポータルサイトの速報でも追える試合状況

28 日本では特定外来生物に指定されている、大きなネズミのような動物

30 優秀で機転が利く人にある

31 食を担う家事

32 選手が試合終了直後に取材を受ける――ゾーン

35 よくできたときにはグッドを付けて褒めたたえる

36 試合結果によって当せん金がもらえるサッカーくじ

38 大きな利益

40 ⬇43パスをするときに、相手ディフェンダーの――を取る

41 正確性は望めないが、ある程度の威力が出しやすいつま先蹴りは――キック

⬇タテのカギ

1 敵にボールを取られないようにうまくコントロールし続けること

3 ディフェンダーがボールをゴールから大きく遠ざける

5 お金やカードを入れて持ち歩く

8 わかればわかるほど深まる

10 飲み物をシェアしてコップに取り分けるために使う容器

12 医者が診る人

14 うまいという人にはこれのセンスがある

15 炊き込みご飯に混ぜたりきんとんにしたりするとおいしい

16 さらに逆足でやってもらうのはおかわり

17 左右が等しいことを示す記号

20 サッカーチームの名前に入っているFCのFは大抵これ

1		12	16	20	■	28		34	39	42
	■	13			24		■	35		
2	8		■	21			■	40		
■	9		17		■		36			■
3		■	18		25	■	32		43	
	■	14				29			■	
4	10			■	26			41		
■	11		■	22		30		37		■
5		■	19		27		■	38		44
6		15	■	23			33		■	
7			■	■	31					

22 大昔の象の名前の由来にもなっているドイツ人学者

24 大金持ちになると建つ

25 必要事項を記入して出す

27 秒を表すアルファベット

28 こんな悪いことして平然としているとは、なんて猛々しいんだ!

29 ⊖14の最初はウルグアイ。2022年はカタール

32 他人にばれないように会う

33 ⊖7が発煙するこれを使うことも

34 お酒を造る人

36 相手ゴールの近くで攻撃を担うポジション

37 常に持っている＝――も離さない

39 一度に2つ得ること。一挙――

41 人より秀でたところ。ストライカーならシュート

42 仕事をサボるときに売る

43 味方が走り込むことを信じて相手のいないスペースへ出す――パス

44 ⊖14では予選やグループステージで、世界各国ではクラブ同士で行う、総当たりで順位を決める形式

51

21 本日もゴルフ日和

ペンを握るかクラブを握るか、お好きな方で。

作●真良碁

➡ヨコのカギ

1 途中で曲がっているホールのこと。犬の脚みたいというのが語源!?
2 「パット・イズ・──」というように、パットの出来はスコアに直結
3 丸くて弾みます
4 ──足　──格子　浜──
5 パター以外のゴルフクラブは、ウッドとこれに分けられます。最近はユーティリティーなどもありますが…
6 ひとまとめにくくったもの
7 ↓18より2打少ない打数でカップに入れること。青木功は1983年のハワイアンオープンの最終ホールでこれを決めて優勝しました
9 サンド・トラップともよばれるハザード。1978年の全英オープンで中嶋常幸が脱出に4打もかかったセントアンドリュースの17番のは、トミーズ──とよばれます
12 ゴルフ界からは服部道子プロが、JOCの──になっています
13 第1打をカップに入れること。畑岡奈紗は2021年にアメリカのツアー大会で2日連続で記録
16 先生として尊敬し教えを受けること
17 神社を代表する人
18 通過すること、試験に合格すること
20 後半の9ホールのこと
22 ゴルフに限らずスポーツ中継は、録画より──の方が盛り上がりますね
23 ↓39の置かれた状態のこと。これが悪いと打つのが大変
24 ゴルフはシニアでも楽しめるスポーツ。奥が深くて──がこないですね
25 ↓18より3打少ない打数でカップに入れること。ジーン・サラゼンは1935年のマスターズの15番ホールで達成しました
26 重いものを動かすときに使う丸い棒
27 飛距離の出るゴルファーの俗称
28 高く上がり過ぎたミスショット。「よく揚がっている」ということ!?
29 ↓40の中を流れる小川
31 芝や草をちゃんと刈っていない場所
32 おじいちゃんおばあちゃん
34 ──凪　町──　冷や──
36 優の対義語
37 吸い物やスープの類。味噌──

⬇タテのカギ

1 ゴルフトーナメントの最終日には、多くの──が生まれています
3 1対1でホールごとのスコアを争う競技方法が、──プレーです
5 値うち　値段
8 苦境でも我慢強くもちこたえること
10 もっとも遠くまで飛ばせるクラブ
11 ピンが立っている芝が短く刈られたエリア
13 城を守るためにつくられた溝
14 スーパーでは、セルフ──が増加中
15 ↓11の周りのフェアウェイより少し短く芝を刈ったところ。色じゃなくて襟という意味の英語です

			1		11	14		21		28		35	38

16 ハンディキャップが１ケタのゴルファー。多くのアマチュアの目標です

18 基準の打数。ニック・ファルドは1987年の全英オープンで最終日に全ホールこれでまわり逆転優勝

19 共通点やそっくりな点があること

21 草や芝のこと。ゴルフ場ではベント──やバミューダ──などを使用

23 ⬆11の上で読みます。右へ曲がるのがスライス──です

24 日本も中国もインドも

26 これを投げて、その裏表で順番を決めることもあります

27 「──は金なり」

28 感覚を大切にするため、利き手にはしないゴルファーもいます

30 初心運転者標識＝──マーク

31 雄のロバと雌のウマの交雑種

32 「──して得とれ」

33 ゴルフクラブの柄の部分。昔はヒッコリーという木が使われました

35 同スコアのときの延長戦。2021年の東京オリンピックの男子ゴルフでは、銅メダルをかけて行われました

37 Ｔ──　Ｙ──　ポロ──

38 幸運。ビギナーにありがち!?

39 ゴルフのこれには、空気抵抗を抑えるため、ディンプルとよばれる窪みがたくさんあります

40 ゴルフをプレーする場所。──デビューするまでに、基本的なルールやマナーは身につけておきましょう

22 マリンスポーツに挑戦

波をかき分け、言葉を書き込む。

作●オグランド

➡ヨコのカギ

1 岸から沖へ向かって吹く風。⬇50に適していると言われる
2 リーダー。村の——
3 ——マリンは3月の誕生石の1つ
4 鴨長明が方丈のを結んだ
5 えへへ…と——隠しに——笑い
6 危険な飲酒法です、やっちゃダメ
7 これを楽しむのがミュージック
8 分野　領域
11 大海原の雄大さは——も今も変わらない
14 素潜りで酸欠になってクラクラ
16 いざ波乗りにレディ？　——！
18 フィンスイミングやバタフライで用いる——キック
20 海面をオレンジに照らします
21 危ない！を光や音で知らせます
23 春ですし、びよんびよん
24 2005年や2017年や2029年
29 尊い方の在位期間
30 日本語で「開拓者」。岡崎造船が生産するヨットの名前にも
31 沖縄はこの気候。マリンスポーツを楽しむのに向いていますね
33 磯際のゴツゴツしたあたり。ヤドカリやフジツボを探そう
34 神奈川県の人気ビーチがある地域
36 水辺にはこれを持つ生き物も多いので、遊ぶ際には気をつけて！
37 あそこの⬇25の家の店員さん、——がよくて笑顔がすてきだね

41 ボードの——方法を身につけて、波に乗ろう
42 フォークで押さえてこれで切る
44 これがブレない生き方がしたい
46 アダムの妻です
48 XとZに挟まれてる

⬇タテのカギ

1 茨城県の人気ビーチがある地域
5 ⬇50で板に立ち上がること。本来は「離陸」の意味
9 ↔豊作
10 サーフボードみたいな形の卵料理
12 カプセル——は何が出るかランダム
13 1851年より続く国際ヨットレースは「——ズカップ」
15 俳句で「波乗り」は夏のこれ
17 水がうまく流れず滞っている所
19 水中でも呼吸ができる道具
22 夏休みだけ⬇25の家で——するんだ
25 ズバリ、マリンスポーツをする場所
26 つるべで水をくみあげる
27 タンカーもクルーザーもこれ
28 マージンともいう利益の大きさ
29 静岡県の——の松原は、水面の青と松の緑が鮮やかな景勝地
30 円周率を表す1文字
31 狂言でシテに対する脇役
32 病院や学校の食事を管理する
35 マリンスポーツで人気の、レンボンガン島やブララス島を擁する国
38 突然の高波に——をつかれる
39 ➡33で裸足は危険なので履こうね

1	9		17	22	■	30	35		43	49
2		■	18		27		■		44	
3		13	■	23		■	36	39	■	
	■	14			■	31			45	
4	10		■	24	28		■		46	
	11		19		■		37	40		■
5			20	25		32	■	41		50
6		15			■	33		■		
	■	16		■	29		■	42	47	
7	12	■	21	26		■	38	■	48	
8				■	34					

40 イソギンチャクと似て非なる生物。
　　フラワーショップには売ってない
43 雨上がりを彩る七色の天然アーチ
45 ↓25やプールに入るのは念入りに準
　　備——をしてから
47 ヤマメと人気を争う渓流釣りの標的
49 積極的。マリンスポーツはこの精神
　　で楽しみたい
50 ズバリ、波乗り。クロスワードは言
　　葉の——を楽しめるパズルですね！

23 冬のスポーツいろいろ

一面の銀世界を、華麗に駆けぬけて。

作●あるかり工場長

➡ヨコのカギ

1　スキーヤーが両手に持ちます
2　ボウリングで10本立ってます
3　スキーとかスケートとかが上手そう
　　という先入観を持たれてしまう道民
4　歯磨き粉に入ってるF
5　スキルを駆使するエンジニアなど
6　春になれば山から流れてくるかしら
7　——クライミング　——ダンス
8　どの選手も心がけましょう
12　准がつく人もいる医療従事者の一員
14　長野冬季五輪男子モーグル日本代表
　　・三浦豪太の——はエベレスト登山
　　で有名な三浦雄一郎
17　ヒマと一緒にかけてクオリティUP
18　「寒」の部首は
20　カゼをひくと痛くなることも
23　カゼをひくと上がることも
25　ラージよりは少し小さいジャンプ台
27　⬇4スケート選手などによる興行
29　演技中に飛ばさないでください
30　『白鯨』に登場する船長
33　自分のストロングポイント
36　2位の人がもらえるメダルの色
38　スノボは1枚、スキーは2枚
40　商品名や金額を記してレジが出す
41　⬇51で中心から石までの距離を測る
42　表彰台に立つと流してくれることも
44　ジャンプ台だけのスノボは——エア
48　⬇4スケート選手はジャンプの精度
　　を——単位で調整するらしい
50　メガの千倍を表すG

⬇タテのカギ

1　——スケートはスケート競技の1つ
4　——スケートはスケート競技の1つ
8　しいたりかけたりして寝ます
9　ターンレフトします
10　二度とまたぐなと言われ出禁に
11　良い成績が出てうれしいときに入る
12　久しぶりのスキー、まず軽く滑って
　　——を取り戻す
13　2014年に冬季五輪が行われた都市
15　すごみを出すときに声に利かせる
16　競技実施が困難な強風や猛吹雪など
19　多すぎる人は少し頭を冷やしなさい
21　長野冬季五輪男子モーグル日本代表
　　・三浦豪太は山岳スキーヤーとして
　　有名な三浦敬三の——
22　五輪メダリストにはスポーツ庁から
　　支給される
24　倒して遊んだり並べて遊んだり
26　お肉をあまり焼いてない状態
28　ドイツ語でスキージャンプの競技台
31　「JR SKISKI」の初代テーマソング
　　『Choo Choo TRAIN』を歌いました
32　「これは良くない絵か？」「——」
34　アスリートが体を鍛えたりします
35　参加することに——がある
37　➡7ホッケーのゴール裏でパックを
　　キープすること。居続けるの意
39　1994年に冬季五輪が行われた都市
42　スケート選手もよく痛める体の部位
43　知人ゼロなので恥をカウントしない
45　これがいくつもあれば本部もある

■	8	11	16		26	32	■	42	47	51
1				■	27		37			
2		■	17	21	■	33		■	48	
	■	12			28	■	38	43	■	
3	9			■	29	34	■	44	49	
■		■	18	22			39	■		■
4		13	■	23		■	40	45		52
	■	14	19	■	30	35			■	
5	10	■	20	24	■	36		■	50	
6		15			31	■	41	46		
7			■	25						■

46　スポンサーがつかない選手は――で遠征したりすることも
47　ガンガンいけるぜと自信アリの長所
49　２泊３日のスキー――に参加します
50　渋谷系がいたり、コがいたり
51　石を滑らせて得点を競うスポーツ
52　物事を引き起こすきっかけのこと

24 目指せ横綱

言葉とがっぷり四つに組み合う1問。

作●静山怒

➡ヨコのカギ

1 年寄株を持つ相撲業界幹部
2 怪我や病気の応急処置を施す——室
3 まつりごとで重要な河川の整備
4 扇子を広げて取組力士を声高らかに紹介
5 ぶつかり合ったら——をシフトアップして寄り切る押し相撲
6 湯に浸り稽古の汗を洗い流す場所
7 さらば幕下めざせ幕内な地位
9 白星より魅力的な——星♡
11 谷町から頂いた大量の肉などは丸ごとではなく——にして冷凍庫で保存
13 賜杯のスポンサー様が御来場
15 おなかに赤ちゃんがいます
17 今生で叶わずとも——では横綱に
19 チェコやブルガリアなど——諸国出身の力士も多い
21 ファンにありがちな力量の過大評価
23 ——が切れ釈迦カンダタを釣り損ね
25 ドスコイの合いの手七五調にのせて
27 これの建立・修繕が目的の勧進相撲
28 軽重を問うこともある三脚
30 正月の餅は——に任せず力士が搗いてファンにサービス
33 居住者あり
35 連敗から抜け出せぬ——状態
37 復習→おさらい　予習→——
39 肩衣で力士が振る舞う節分行事
41 荒川を横に見ながら——の上をランニング
42 力の神様タヂカラオがぶん投げた？

45 神仏を信じすがること
47 よそ行きの着物に似合う柾目（もくめ）の詰まった——の下駄

⬇タテのカギ

1 スモウレスラー定番のヘアスタイル
5 軍配の房がステータスシンボル
8 本日最後の一番
9 いっぱい入れば満員御礼
10 ——と「ダルマさんが転んだ」は振り返ってばかりじゃ先に進めないのさ…と作者は良いこと言ったつもり
12 兄弟子のお使いは——走りで大急ぎ
14 太っていても——は体を守るクッションでごんす
16 押し込まれた時の足元の踏ん張り所
18 力士への関門の——弟子検査
19 相手の片手を抱えて捻り倒す相撲技
20 部屋運営で最もかかるのは食費かも
22 名大関たる雷電の4分の3
24 昔から乙亥大相撲（おいぞおおずもう）（花相撲）が開催される県の旧国名
26 花のお江戸の相撲日和
29 婆さんは洗濯カゴですくい上げ
31 おから＝うの花＝——
32 馬ならたてがみ付近の色っぽい部位
34 この一番にて本日終了
36 本番さながらのテスト前テスト
38 地獄の沙汰の担当者
40 NHKの中継には無縁な日本広告審査機構の略称
41 物言いで勝敗つかず取り直し
43 兎に煽られ徒競走に参加

58

44 日本古来の伝統泳法
46 「明日の相撲は勝てないかも…」と
　　──の虫が頭をもたげる
48 国技館今は両国前はここ
49 映画のエンドロールの如く相撲の余
　　韻に浸る土俵上のパフォーマンス

おまけ
チマタグラム
④「スポーツ」

スポーツの名前に１文字加えて並べ替え、別の言葉を作りました。
元の言葉と、余る１文字を当ててください。
例：春もドボーン！（はるもどぼーん）　→　ハンドボール＋も

1　古典カード
　　（こてんかーど）

2　濾過ストーンちくり
　　（ろかすとーんちくり）

3　組ませろパター
　　（くませろぱたー）

4　下が希有な本
　　（げがけうなほん）

余る１文字を、１〜４の順に読むとできる言葉は何でしょう？

＊答えは P.111

第5章 旅

パズルで各地に物見遊山。切符は不要です。
解けたときの達成感が、旅の思い出になる。

25 日本の名所

解けば故郷がまぶたに浮かぶ。

作●前島奨太

➡ヨコのカギ

1 札幌にある三角屋根の定番名所
2 清水寺のおみくじで──試し
3 模型を上手に配置して名所を再現だ
4 単式や複式がある金銭の整理方法
5 軽く横になって、つい夢の世界へ
6 坂本龍馬像でも有名な高知の景勝地
7 富士山頂は通称「剣が──」
8 台をバンバン！　北九州の門司港が発祥であるバナナの──
11 高野山などがある「──山地の霊場と参詣道」は世界遺産
13 湯もみ体験もできる群馬の温泉地
15 明石名物である玉子焼きの中身
17 絶景を拝むならやはり晴れがいい
18 宇治の夢浮橋広場にある──式部像
20 マグマのおかげでできる──発電
23 九州の八代海で見られる神秘的火影
25 12月の夜祭で有名な埼玉の──神社
28 まるでナンチャラのようですね
29 新潟港や直江津港から船に乗って上陸。トキや金山で有名
31 広島の──神社で海に浮かぶ大鳥居
33 博多では明太子に加工される
35 富山湾にも出現する不思議な虚像
37 鶴岡八幡宮の流鏑馬神事で疾駆
38 寺→僧侶　神社→？
39 これがはってる人は旅もグルメ中心
42 明智光秀曰く、京都の本能寺にあり
44 ５つより多い＝──に余る
45 富岡製糸場を支えた生糸の原料
47 君が代は──に八──に

⬇タテのカギ

1 切り立った崖が怖い福井の景勝地
6 大阪観光で──演芸を見て笑いたい
9 「私なんて」と自己──に陥る
10 北海道内に出没するフォックス
12 ロープウェイでの登山なら──ちん
14 京都の六波羅蜜寺に塚や坐像がある清盛の姓
15 栃木なら華厳、和歌山なら那智
16 仙台城跡には彼の騎馬像がある
19 渋谷駅前で像になっている忠犬
21 京都の平等──や三千──
22 ずうずうしい人は皮が厚い
23 出雲大社や松江城などが有名な県
24 茨城の米軍──の跡地に造られた国営ひたち海浜公園
26 奈良の吉野山はこの花の名所
27 阪神甲子園球場の壁を覆う緑
30 町おこし事業で──振興を促す
32 食材に酢味噌がからむ料理
34 観光　田園　政令指定
36 北海道の旭山、東京の上野、愛知の東山といえば──園
38 水戸で梅の名所として知られる庭園
40 筑波山に伝わる──の油売り
41 このカギの文末にはついている。
43 広島県を象徴する魚といえば
44 福島の裏磐梯にある緑や青や赤などの個性的な湖沼群
46 まっすぐな道。真実──
48 日本三景の宮城代表
49 沖縄にある琉球王国の拠点史跡

1	9		16	21	■	29	36	40		48
2		■	17		24	■	37		■	
3		12		■	25	30		■	44	
	■	13		22	■	31		41		
4	10	■	18		26		■	42		■
5		14		■		■	38			49
■	11			■	23		32		■	45
6			19		■	33		43	■	
7		■	20		27		■	39		46
	■	15			■	28	34		■	47
8					■		35			

26 鉄道に乗る

車窓から見える風景、浮かんでくる言葉。

作●しきみのる

➡ヨコのカギ

1　ＪＲグループで『身延』『岐阜』『飯田』といえばＪＲ――

2　京都や富山が有名な――列車

3　塁に進めるバッティング

4　褒められた賞状はこれに入れたい

5　昔はこれのある新幹線がありました

6　ＪＲグループで「稚内」『富良野』『千歳』といえばＪＲ――

9　物事が盛んになること。鉄道の敷設が地元商店街に人を呼び地域――のきっかけになることも

11　単軌鉄道のこと。沖縄や千葉にある

12　指定　自由　グリーン

14　サンバカーニバルで有名な都市

15　ＪＲグループで「境港」『和歌山』『小浜』といえばＪＲ――

17　「特急ゆふいんの――」は博多と由布院を結ぶ観光列車

19　ホームの外できっぷを売る機械

20　漢字で「竈馬」と書くコオロギと近縁の昆虫

21　ＪＲグループで『佐世保』「都城」『唐津』といえばＪＲ――

23　RGBのR。名鉄や京急といえばこの色

27　埼玉の市。――駅は↓39の元祖・日本鉄道の時代から続く歴史ある駅

28　ヒグラシやツクツクボウシもこれ

30　地名の１つ。大分だったら西屋敷→――→中山香。東京だったら四ツ木→京成――→青砥

31　たまに地上も通るサブウェイ

33　撮り鉄が電車に――アップ

34　ＪＲグループで「宇和島」『鳴門』『徳島』といえばＪＲ――

37　割り算のこと。加減乗――

⬇タテのカギ

1　持ち運ぶ、という意味の英語。大きめで四角い――バッグ

3　ＪＲグループで「木更津」『八戸』『篠ノ井』といえばＪＲ――

7　「論理」を英語で

8　たるんだ精神に――を入れる

10　ＪＲグループで「つなぐ」「運ぶ」「これからも」といえばＪＲ――

12　何かをやり遂げたときにできるもの

13　終わらないので帰れません

15　盆と暮れ

16　漬け物樽の上にのせて水分をしぼる

18　棒の影で時を把握

20　「土」を語源とする枯草色

22　2024年現在、――中央新幹線はまだ建設中

24　――のごとく人が群がる

25　少額貯蓄非課税制度の通称。「優」の字を囲ったマークが由来

26　捕まえること

28　交通機関の経路。この問題の『　』で囲った地名は後ろに――をつけると全国の幹――もしくは地方交通――の名称になります

29　確率計算して大体このくらいになるだろう、という値

32 垂直方向の凸凹。線路の保守では、
　　レールの──がないようにしている
35 野菜や果物の栽培時に、品質向上の
　　ため余分な実を間引くこと
36 21番目のあなた
37 ナルシシズムのこと
38 訟務事務、国籍や戸籍の管理、人権
　　擁護事務などを行う公的機関
39 ＪＲ、公営鉄道以外の鉄道のこと

27 地図を広げる
ええと、現在地はどこかな。

作●松風

➡ヨコのカギ

1　地形図上のうねうね
2　これを図案化したものが油井・ガス
　　井の地図記号に使われている
3　仏像が手で結んでいるもの
4　春を告げる法華経信者の鳥
5　これを表す地図記号はイネの他に、
　　ハスやワサビの栽培地にも使う
6　㋒1がV字型になっている場合、川
　　の有無や標高の高低を見ればそこが
　　尾根か――かがわかる
7　調理パンの一種で甘いやつ
9　不吉なときに切れる草履の一部
13　スマホの地図アプリ、――は小さい
　　けど拡大縮小機能で自由自在
14　イギリスあたりに0があり、太平洋
　　上に180がある
15　ぼんやりとした記憶
18　鳥瞰図のような物事の見方
20　㋒1が密集しているところ。急斜面
22　丸い地図
24　これが3つの地図記号は茶畑か史跡
26　――も子もない
27　木の幹から分かれてさらに分かれた
　　細かい部分
28　正確な位置を測量するための基準点。
　　全国に約10万点存在するが、現在そ
　　の役割は電子基準点に取って代わら
　　れつつある
29　寒い朝、地面におりる
30　空気を入れ換えるのに使う――孔
32　㋓3の――は約二尺二寸であったと

され、自ら初期の測量で用いている
33　浜名湖や宍道湖など
34　銀行のいちばん偉い人
35　身柄や事件を別の場所にうつすこと
38　――朝駆け
40　帳簿上もうかっている状態
42　ドイツの漢字一文字略号
44　牛　天　親子

⬇タテのカギ

1　これを図案化したものが神社の地図
　　記号に使われている
3　『大日本沿海輿地全図』制作の中心
　　人物。映画『大河への道』で描かれ
　　ているが、作中一度も登場しない
8　大阪→東京：上京
　　大阪←東京：――
10　おもに町村を包括する。かつては行
　　政上の単位であったが、現在では単
　　なる地理的な区分
11　多くの地図では左にある方角
12　鉛筆を削るときにも使う道具
14　これを図案化したものが警察署の記
　　号に使われている
16　太宰府天満宮で咲き誇る
17　事務所のこと
19　むきだしになっている岩石
21　25000分の1の地図は図上の1――
　　メートルが250メートルにあたる
23　㋓44が折れるところ
24　持つところがあるので水くみが楽
25　丑寅の方角
27　ゲームの連続技などのこと。元々は

「楽団」を意味する言葉

29 中央政府のある都市。たいてい１つなので特に地図記号はない

30 これを図案化したものが老人ホームの地図記号に使われている

31 眠る前の子どもに読み聞かせ

33 服の裏地に施されていると温かい

34 八方に光が出ている様子が地図記号になっている構造物

36 ⊥字型の地図記号で描かれるエリアにあるもの

37 江戸時代以前に多く使用された日本全図の作者（との伝説がある）、奈良時代の僧侶

39 行動の自由を奪うこと

41 赤道上に０があり、北極南極に90がある

43 役に立たない大木といわれるが野菜としては有用

44 地形図上は幅員によって描かれ方が変わる。特に幅広のものは正しい縮尺の真幅——として描かれる

45 日本の地図の総元締ともいえる行政機関。つくば市に本院があり、地図と測量の科学館が併設されている

46 卍字型の地図記号が使われる建造物

28 快適な空の旅

機内食は何にしようかな。

作●ひらやまひらめ

➡ヨコのカギ

1 機首を上げ、いざ大空へ！ 「ダイ
ヤモンド・――」はブルーインパル
スの展示飛行課目の１つ

2 操縦室の会話や交信内容を記録する
――レコーダー

3 長崎、神戸、セントレアは――に囲
まれた空港

4 １――のエアメールがポストに届く

5 特殊――の容疑者が強制送還され、
午後成田空港に到着しました

6 壊れた建物等の残骸。飛行機の――
だとガレージキットの略の場合も

7 空港の主要施設。出発／到着ロビー
や搭乗ゲートなどがある建物

9 空の上でも快適に。機内に地上と近
い環境を作る空調と――装置

11 パイロットと管制官との――はおも
に英語が使われる

13 滑走路のこと。ファッションモデル
が颯爽と歩く場合もある

14 なんばと関空を結ぶ南海電鉄の特急

17 飛行機がすれ違う際には、――の差
をつけて衝突を回避している

18 北九州の航空会社スターフライヤー
の機体のベース色

22 ジェットエンジンで、取り込んだ空
気を押し縮めて燃焼室へ送る――機

24 ――として初の大西洋単独横断成功。
伝説の飛行士アメリア・イアハート

26 霧が多い地方での高性能の計器着陸
装置など、その土地の――に応じた

27 ケロシンが代表例。着陸時に離陸時
よりも少なくなるもの

28 人手の作業を減らし、自動化や――
が進む空港の地上支援業務

30 海底に打ち込んだ――の上に作った
桟橋構造の羽田Ｄ滑走路

32 翼の周りの空気の流れが生む、飛行
機を浮き上がらせる力

34 飛行機の素材に広く使われるのはチ
タン。亜鉛をめっきした鉄板は――

37 首周りにくぼみを作る骨

38 飛行機の――テールは、髪形でも怪
獣でもなく双尾翼のこと

40 航空券購入時に、チケット代以外で
必要となる費用に空港――がある

41 ボーイング767の機体サイズは、ナロ
ーボディとワイドボディの間の――
ワイドボディと呼ばれる

42 ――認証による搭乗手続きで、スム
ーズにゲートを通過

⬇タテのカギ

1 間近で飛行機を見物できる――デッ
キは、見送りや撮影スポットに絶好

4 リンドバーグの伝記映画『――よ！
あれが巴里の灯だ』

6 至る所に――がきた年代物の複葉機

8 レッドバロンの――を持つドイツの
撃墜王リヒトホーフェン

10 機内食もここで用意。旅客機の厨房

12 ファースト―― ビジネス―― エ
コノミー――

15 気負い。——のない自然体の構え
16 キャリー——とは、機内持込み手荷物のこと
17 パイロットが座る。操縦に必要なモニターや計器類でいっぱい
19 離着陸時の経路を決める最大の要素
20 LCCは——・コスト・キャリアの略
21 ありのまま。緊急事態も——に再現でき、乗組員の訓練でも活躍するフライトシミュレーター
23 「——でのろまな亀」が当時の流行語に。ドラマ『スチュワーデス物語』
25 新潟の県の鳥。2024年、新潟空港に新航空会社「——エア」が就航
27 深夜のフライト、客室内には——が聞こえる
29 主——　尾——　デルタ——

31 ——恐怖症の人は飛行機も苦手?
33 空港を見渡すタワー
35 計器飛行に対するのは——視界飛行
36 地震や台風などの被害にあうこと
38 米国の空中指揮機E-4Bナイトウォッチは核戦争にも対応した堅牢な——
39 離着陸時の難敵。専用の滑走路を持つ空港もある
41 飛行機が空で向きを変えること
43 ふさいだ気分
44 東京国際空港が羽田なら、大阪国際空港は?
45 マッハを使って表現できる速さ。コンコルドはこれを超えて飛ぶ旅客機

29 国旗を掲揚

それぞれの国に、それぞれのデザインあり。

作●おく山みつゆき

➡ヨコのカギ

1 アメリカの国旗の別名
2 ドイツの国旗の一番下の色。義勇軍の軍服の――ボタンに由来
3 ドイツでできた　わけではないの　七七七五　はやり歌
4 ブラジル国旗は地球の後ろに黄色い――形。鉱物資源の象徴
5 混雑率０％の電車
6 アフリカ大陸最大面積の国。国旗は
　　　緑緑緑白白白
　　　緑緑月星白白
　　　緑緑緑白白白
7 2023年には広島で行われた――7のサミット。各国の国旗も飾られた
8 ドイツ語でアルプス。五輪競技にも
10 ベルギーを表す漢字１文字。ちなみにベルギーの国旗にこの色はない
13 国旗は青地に白い星４個、ミクロネシアの国名はギリシャ語で――の意
15 ヒトの体重を支える部位。イタリアでいうと最東端のプーリア州の辺り
17 国旗を巻かれてお子様ランチにプス
18 ⊖19を食らうかもしれない立場
19 外国国旗を侮辱目的で破ると食らう
22 ジャンプ　発射　踏み
25 月面に国旗を立てた人の交通手段
27 有田焼でおなじみ
29 フランスの国旗の別名。三色の意
31 この鳥で知られるニュージーランドは2016年、国民投票で国旗の不変更が決まった

33 ココロがはなれそうな必須アミノ酸
35 韓国の国旗に描かれた黒い線「卦」は、万物は木火土金水から成るとする――思想とも結びつく
36 京都議定書では――効果ガス６種について各国の削減目標が設定された
38 ハワイのフラダンサーや浦島太郎が身に着けてるイメージ
40 天皇旗に描かれている
42 船の航路。和歌では「身を尽くし」との掛詞に使われがち
44 移ろい。――期　――的
46 高山で飼われる家畜。別名アメリカラクダ

⬇タテのカギ

1 エクアドルはスペイン語で――の意味だが、国旗に描かれてるのは黄道
4 日本や中国などが含まれる地域
9 人口世界最大の国。国旗は
　　　サフランサフランサフラン
　　　白白法輪白白
　　　緑緑緑緑緑緑
10 スペインの国旗に描かれている２本の――は、ジブラルタル海峡の岬を表す
11 国際的な場での国旗の取扱いでは、外務省が定めたこれに従いましょう
12 自国とは違う国旗を掲げる地。頭に「が」をつけても同じ意味
14 中国やトルコの国旗のバックはこれ
16 パナマの国旗の十字の仕切りは、同国が南北アメリカ大陸と大西洋・太

Crossword Grid

1,9			16	20	24	■	35		41	47
2		■	17			30		■	42	
3		12		■	25		39			
		13		21		31				
■	10		■	22	26	■	36		43	
4		■	18		32			44		
5		14		27		■	40			
		15		23		33	37	■	48	
6	11			28	■	38		45		
7		■	19		34	■	46			
8			■	29						

平洋を結ぶ──にあることを表す

18　itemとexchangeできるticket

20　ベネズエラ・ボリバル共和国の国旗の左上、国章の中にいる動物

21　輸入物はモーリタニア産やモロッコ産が多い、おなじみの海産物

23　神社の入口。靖国神社などでは日章旗を掲げることも

24　おみくじでは出会いたくない

26　国旗ではなく旗印を掲げ武将が激突

28　国家転覆等を目論む奴らが隠れる

30　ズバズバ言えない性格…(〃ノω)

32　豆腐を固めるアルカリ性の水

34　人気の観光地・──島のあるインドネシアの国旗は、モナコ公国の国旗とよく似ている

35　2021年東京五輪開会式では、各国が国旗を手に(概ね)──順に入場

37　湖面の美しさが──ブルーとも呼ばれる、北海道のカルデラ湖

39　──＝勝利、──・──＝両得

40　外国国旗の商標使用は原則──

41　夏祭りの屋台

43　ネパールを除く全ての国旗がこの形

45　日本やタイなどの国旗は──に写しても違和感なし？

47　「地上のコアラ」とも言われる動物。ユニオンジャックと南十字星の国旗でおなじみ、オーストラリアに生息

48　日本の国旗の別名

30 世界の名所

縦横無尽な知識を問う難問。じっくりどうぞ。

作●遠藤郁夫

➡ヨコのカギ

1 英国のシティーとならび、世界を代表する米国の金融市場の中心地

2 4世紀後半ヨーロッパに侵入し、民族大移動を惹起した騎馬遊牧民族

3 幸運と豊穣が巡って来る1年

4 観光客で――満員の世界の名所

5 ↔嫁

6 ミノア文明の中心の島。エヴァンズ発掘のクノッソス宮殿は人気遺跡

7 アジア各国にある寺院

8 マフィアを生んだ地中海最大の島

10 ラトビア共和国の首都。景観の美しさは「バルト海の真珠」と称される

12 中国の名山「泰山（たいざん）」南麓の観光基地

14 滅多にないが要注意の1／10000

16 フランス風文化が色濃く残る米国の州。連邦加入は1812年の18番目

18 記者が見込みで書くのだ

20 果実を製菓材料にするウルシ科の木

22 穴開き円盤石貨で有名な、西カロリン諸島の西端の島

24 甘粛省南西部の都市。炳霊寺（へいれいじ）石窟は仏教美術の遺跡として名高い

27 メリメ創出の情熱と魅惑のヒロイン

29 太白山脈（テベク）を中心に、38度線で南北に分ける行政区画。漢字表記は江原道

31 「訪れる」ではなく「訪れた」

33 立派な体格のたくましい男性

34 ワシリー大聖堂を背景にした、赤の広場での記念撮影が定番の都市

36 のんびりとうつらうつらの春の日や

39 1930年代に大流行したキューバの大衆音楽。ヒット曲"El Manisero"

41 歴史的事実の痕跡。甲骨文字が出土した、河南省安陽市の殷――

43 パリの北東、エーヌ県の県都。初期のゴシック式大聖堂はマニア好み

44 インド南西部の州。ボン・ジェズス教会のザビエルの壮麗な棺は必見

45 1271年、第5代世祖フビライ建国のモンゴル族の王朝。都は今の北京

⬇タテのカギ

1 バジコルトスタン共和国の首都。ロシア革命に伴う激戦地として有名

4 シベリアの都市。流刑囚ドストエフスキーの『死の家の記録』の舞台

7 日清戦争後の下関条約により開港した湖北州北岸の港湾都市

9 ナイアガラ瀑布からエリー湖の水を受け入れる湖

11 絵画、写真への加筆や補筆

13 メリット＆デメリット。――得失

14 イエスが召命した、元徴税人の使徒

15 1858年、聖母マリアが顕現したピレネー山脈の麓の地。奇蹟の泉の水が難病を癒す一大巡礼地

17 世界遺産の史跡が豊富な、フランスはローヌ県の県都。織物歴史博物館の収蔵品は世界有数を誇る

19 サモア独立国の首都。バエア山の頂上に、『宝島』のスティーブンソンの墓がある

21 異国産の乗り物

23　ペロポネソス半島東部の地。シュリ
　　ーマン発掘の、ミュケナイ文明の城
　　砦都市遺跡は世界遺産
25　そのまま保つ。現状――
26　用足しを果たした人への報酬
28　王侯貴族が狩りに使った鳥
30　メキシコの太平洋岸の都市。国際的
　　に評価の高い憧れの保養地
32　人前で意見を披露
34　賭博開帳図利で国家予算を稼ぐ、地
　　中海に面した立憲君主国
35　こぶともなる、年齢や地位の高い人
37　中国原産で漢方薬に使う多年草。補
　　血・強壮に効く
38　ドイツ西部の交通の要地。世界遺産
　　のゴシック式大聖堂とオーデコロン
　　で世界的に人気抜群。石鹸も素敵

40　意見を裏付けるよりどころ
42　ドイツの数学者。――の壺
44　魏の司馬懿（しばい）と対陣中の、蜀の諸葛孔
　　明が病没した古戦場
46　陸地をえぐった入江。真珠――
47　首都はポートビラ。豚が財貨になる
　　南太平洋の共和国
48　激しい怒り。「ふんぬ」とも

73

⑤「首都」

世界各国の首都名に１文字加えて並べ替え、別の言葉を作りました。
元の言葉と、余る１文字を当ててください。
例：乗る便利（のるべんり）　→　ベルリン（ドイツ）＋の

1　バント裏ガール
　　（ばんとうらがーる）

2　あら遺憾
　　（あらいかん）

3　住むとホック凝る
　　（すむとほっくこる）

4　炙り鯨
　　（あぶりくじら）

余る１文字を、１〜４の順に読むとできる言葉は何でしょう？

*答えは P.111

第**6**章

文化

様々なカルチャーに関する言葉がパズルに。
知識と遊ぶひとときを、お楽しみください。

31 神々の物語

世界各地の神話や昔話が出てきます。

作●サイレント・ファン

➡ヨコのカギ

1 ギリシャ神話の最高神ゼウスは父であるクロノスを退け、神々の――となった
2 アポロンが授ける神のお告げ
3 南方を守護する中国の神獣
4 神の怒りで天から落ちてくる
5 雪をかぶってかわいそうだ、と施しをしたらお礼に金銀をもらった昔話
6 エジプトのトトは頭の働きであるこれの神
7 マースとも呼ばれるローマ神話の軍神
12 目・鼻・耳・口がない古代中国神話の怪物
14 赤ずきんとお婆さんを食べた動物
15 太陽に近づきすぎ、翼の蝋が溶けて落ちた男
16 ギリシャ神話における原初の天空神。神々のいる世界そのものをさす場合もある
19 ゼウスと戦い敗れた巨人族
21 アーサー王伝説に登場する魔術師
23 各地の神話に登場する死後の世界
25 日本各地に討ち取られた首にまつわる――伝説が残る
27 ギリシャ神話において、美と優雅を表す三人の女神のこと
30 神々の伝令使であるギリシャの神
32 中国の伝説の霊鳥
33 ギリシャ神話における原初の神。現代では「無秩序」の意味でも使う
35 警察の隠語で殺人事件のこと
36 ローマの女神ヴィーナスが司る
39 洗濯用のをなめた雀が舌切り雀に

⬇タテのカギ

1 弟・セトに体をバラバラにされるが妻・イシスの尽力で再生した、古代エジプトの神
4 タヌキが背負う柴にウサギが火をつけて成敗する昔話
8 これは天に任せる
9 本来の美味しさを損なう不純な味
10 頭の働きや感覚の鋭さ
11 よその国
13 三半規管などがある、耳の最深部
14 メスと対になる
15 偉大なる手柄
16 童話でキリギリスと比べられる虫
17 神にも人にもある、激しく憎む感情
18 ホメロスの叙事詩でも語られた古代ギリシャの――戦争。「――の木馬」などでも有名
19 ギリシャ文字の「τ」
20 死神が持つのは大きなタイプ
22 自動車と同じ道路上を走る――電車
24 相手を仇だと思う心情
25 エジプトのミイラを英語で
26 優れた技術の――を集める
27 桃太郎のおともの一匹
28 あと1つ昇進すれば少将
29 ギリシャ版三途の川の渡し守
30 四角形には4つある線
31 ペルー発祥といわれる箱型の打楽器

1	8	■	15		22	26	■	33		40
2		11		■	23		29		■	
■		12		18		■		■	36	
3	9		■		■	27		34		
■		■	16		24		■		■	
4		13		■			30		37	
■		■	19		28		■		■
5	10		17		■		■	35		41
6		■		■	25		31		■	
■	14		20		■		32		38	
7		■		21		■		■	39	

33 一寸法師はお椀を船に、箸をこれに
　　して旅に出た

34 酒の一種。古代メソポタミアの女神
　　ニンカシはこれを司る

35 心臓が脈打つ音

36 八咫烏はこれが3本ある

37 複雑に入り組んだ道を抜ける遊び

38 木こりが泉に落とし、女神が出現

40 体がライオンで顔が人間の怪物

41 ローマの女神ヴィクトリアはこれを
　　もたらす

77

32 妖怪変化ぞろぞろ

怖くない怖くない大丈夫大丈夫…。

作●くだぎつね

➡ヨコのカギ

1 様々な妖怪たちが練り歩く
2 ──の髄から天井のぞく
3 妖怪を題材にしたものも多い、江戸時代にうまれた芸術
4 姿を真似て紛れること。狐や狸が化けるのもこれ？
5 獣の他、果実や紅葉ですることも
6 病気のこと。疫神は人々に──をもたらすと恐れられた
7 幽霊の周りに浮かぶ妖しい炎
8 兄弟姉妹の娘
11 指揮者が振る棒
14 座敷わらしがいる家はこれが上がるといわれる
15 落ち葉を集めて芋を焼いたりする
17 怨霊・菅原道真の流刑地
19 一つ目小僧はできないぱちくり
21 1話ごとに灯りを消しながら、たくさんの怪談を語る催し
24 川のこのあたりにいると河童が出てくるかも
26 鬼の頭に生えている
28 ひととおり終わってもまだ残る影響
31 百年使われた古道具には霊力が宿り、──神となることがあるという
33 最高硬度の宝石。所有者が不幸になる呪いの──…なんて都市伝説も
35 怪談や都市伝説は──話として広まっていくことも多い
38 様々な怪談奇談が伝わる各地域
40 これが強い料理は喉が渇く。悪霊は

苦手？
42 頭に飾る伝統的なアクセサリー
44 お化け↓9はここを歩くのも怖い
46 帰省したときに滞在することが多い
47 「あかなめ」という妖怪はここの垢をなめる
48 こっくりさんの最中、離してしまうと呪われるとか
50 大口が特徴的な動物

⬇タテのカギ

1 「火の用心」と夜回りで打ち鳴らす。真夜中にこれの音だけする…という怪異譚が江戸をはじめ各地にある
5 『神田川』などのヒット曲があるグループ。解散コンサートの録音テープに幽霊の声が…なんて都市伝説も
9 幽霊やお化けが出がちな大きい家
10 神聖な物や場所を粗末に扱うとこれがあるかも
12 火消しが目印としてかかげた
13 育てること。このために飴を買う幽霊の話が各地にある
15 怠けること。「あまめはぎ」や「なまはげ」はこういう人を戒める妖怪
16 タバコを吸うこと。ウワバミはやらない？
18 雪女が大活躍しそうな時季
20 ↓52を医学的には睡眠──という
22 大まかなこと。妖怪マンガで有名な水木しげる大先生は、世界の妖怪は──1000種類だろう、という「妖怪千体説」を唱えた

23 幽霊が出そうな場所は――が悪い
25 形が整わずゆがんでいる
27 真実ではない歴史や伝説などを記した文献。古代文明にまつわるものも
29 「青――」は『雨月物語』収録の怪談。「赤――」は西洋の童話
30 学校のトイレを――して呼ぶと花子さんが出てくる…かも
32 シャツとかパンツとか
34 仏教の教えの１つ「色即是――」
36 ８本脚の生き物。女郎に化けたり、源頼光に退治されたり
37 予言をする妖怪「件(くだん)」は字の通り、人の顔と――の体を持つ
39 節分の魔除けにも使われる魚
41 怪談や都市伝説はこの世代から広まるイメージ

43 鶴屋南北の名作『東海道――怪談』
45 年配の男性。「小さい――を見た」という都市伝説が2010年ごろ流行った
47 1970年ごろ流行った「――の手紙」
48 大ケガをしたときなどに行われる
49 江戸の歌舞伎小屋の使用人
51 体の一部が長くのびる妖怪。話によっては頭が体から抜けるものも
52 怪談でもよくある、体が動かせない状態

33 名探偵登場

知識と推理を駆使してお楽しみください。

作●矢野龍王

➡ヨコのカギ

1 内田康夫の推理小説に登場する名探偵、――光彦
2 いわゆる「デスゲームもの」でよく行われる。勝てば報酬、負ければ死
3 子供の遊びを小説の題材に取り入れた、山田悠介のホラー小説『リアル――』
4 ――の罪を着せられた人を、探偵が名推理で救う
5 本や文を書きあらわすこと
7 昼間がとても長い
8 拳銃、ナイフ、ロープなどが定番？
11 全体に占める割合、比重
13 蛹の外側
15 推理小説だと「雪の山荘」で殺人事件が発生しがちな季節
16 道路にある蓋付きの穴
17 『グリーン家殺人事件』『僧正殺人事件』などの代表作があるアメリカの推理作家。玩具の会社とは無関係
18 推理小説でよくある、ハラハラドキドキする展開
19 曲がるときにカチカチ
20 名探偵シャーロック・ホームズにはマイクロフトという――がいる
24 世界初の推理小説と言われる『モルグ街の殺人』を書いたアメリカの推理作家、エドガー・アラン・――
25 「事件の発生した○月○日の○時頃、私は○○にいた」と犯人が工作
26 『オリエント急行の殺人』『そして誰

もいなくなった』などの代表作があるイギリスの推理作家、アガサ・――
28 トリックや謎解きを重視する推理小説の1ジャンル
29 これがはずれた推理をすると、真犯人の思うつぼ
31 補聴器などを耳に付けていない状態
33 トウモロコシから作る皮で肉や野菜を包んだメキシコ料理
35 アルセーヌ・ルパンの得意な犯罪
37 法廷もの推理小説では殺人が――か過失かを争ったりする
39 犯人が問われるもの
40 服部半蔵は――流の忍者

⬇タテのカギ

1 プランクトンが大量に発生し、海の色が夕焼けのように染まる
4 飴と――
6 エラリー・クイーンの推理小説のシリーズで、X・Y・Zといえば
9 フィリップ・マーロウなどハードボイルド作品に登場する男が好む
10 「――の謎」は、身の回りの些細な出来事を解き明かしていくタイプの推理小説
12 本や文のこと。推理小説もこれ
13 金田一耕助にとっての金田一少年
14 森博嗣の代表作といえば『すべてが――になる』
16 ――ものの目撃情報、信用できない
18 人間が猿など3匹を連れ回す物語

20 アイデア。推理小説なら密室トリックや意外な動機など

21 推理小説の新人賞のように作品を募って優劣を決める

22 エラリー・クイーン「国名シリーズ」の1つで舞台となったアジアの国

23 明智小五郎や少年探偵団の生みの親、江戸川——

25 角膜移植のため目の管理を行う機関

27 密室殺人ものが得意なアメリカの推理作家、ジョン・ディクスン・——。『火刑法廷』『皇帝のかぎ煙草入れ』が代表作かぁ?

28 死体を漬けておくと腐敗が遅れる

30 身の毛もよだつ展開で読ませる推理小説の1ジャンル

32 博打の会場

34 ストーリー。推理小説の後半はだいたい意外なほうへいく

36 真犯人は暗いこれを持っていた…と物語の終盤で明かされることが多い

38 マンションやアパートではない住まい。いわゆる「館もの」の館もこれ

40 現場にいかずとも難事件を解決する名探偵が、安楽なのに座ってる

41 「読者への挑戦状」のような、問いかけて解答を求めるもの

42 ——リードは、読者をわざと誤解させる推理小説のテクニック

43 金田一耕助やゴムマスクの男が登場するのは『——家の一族』

34 楽器と音楽

言葉がハーモニーを奏でます。

作●かばしさま

➡ヨコのカギ

1 演劇や音楽会、映画撮影現場などで「撤収」を意味する業界用語

2 金管楽器の──抜きの蓋はコルクやゴムなどでできている

3 アンサンブルでは、共演者の演奏に──するのが大切

5 音楽の都と呼ばれるオーストリアの首都

6 管をスライドさせて長さを変えることでピッチを変える金管楽器の1つ

7 鬼は外、福は──

8 はっきりしたピッチで鳴らせるため、オーケストラでよく使われる➡15

9 今回のコンクールは1位無しで、2位が──位だ

10 モーツァルトはサリエリに──を盛られて死んだという俗説がある

12 記念公演や祝賀音楽会のことを──コンサートという

15 枠に膜を張り、それを叩いて音を出す楽器

17 演奏終了後、すぐ拍手しないで！──を楽しみたい

20 マスケラータとは──舞踏会のこと

21 連続する同じ音に弧線がかけられていると、スラーではなく──

22 演奏が始まった瞬間、会場の──が一変した

24 シングルリードを鳴らして音を出す木管楽器

25 彼は演奏の──が良い

26 彼は音楽の──がある

27 オーケストラの弦楽器で高音部を担当する

28 オーケストラの弦楽器は下手側から上手側に向かって、第1➡27、第2➡27、ビオラ、チェロ、そしてチェロの後ろにコントラバスが基本

30 衝撃

32 勝ち負けがつかない

33 ベートーベンの第九では4楽章の後半に登場する

35 からかうこと

37 彼女はいつもオペラで➡33を歌っているが、今回は──がついた

38 パストラル

40 上がると演奏が上手になる

42 アヘン戦争のときの中国の国名

⬇タテのカギ

1 音楽の父といえば？

4 有名な「ジャジャジャジャーン！」はベートーベンの交響曲第五番『運命』の──に演奏される

9 アルマンド、クーラント、ジーグと共にバロック音楽の組曲を構成する。三拍子の舞曲

11 わたしは赤、あなたはオレンジね

13 ──の強さを感じられる感動的な演奏だった

14 夜想曲

16 花言葉は「美しい淑女」や「優雅」

17 トイレで足す

18 乙巳の変とか本能寺の変とかは、殺

された側から見れば

19 渋滞している道を——する

21 ギターを弾くと指にできる

22 イギリスとか日本とかインドとか

23 好きな作曲家？ リスト！ 顔がいい!!

25 休憩中や終演後に——を話すのも演奏会の楽しみの１つ

27 後部に貨物を積める自動車

28 グループ

29 演奏家にサインを貰うため、——を持って出待ちする

31 演奏会に——が出るのでお花を持って聴きに行く

33 高い音をうまく出す——を教えてください

34 作曲家ヨハン・シュトラウス、『ラデツキー行進曲』を書いたのは——の方、『美しき青きドナウ』を書いたのは子の方

36 自然

38 頑張って仕上げた企画書が——になって落ち込む

39 商品を生産者から消費者に届けること

41 西洋を中心とした、伝統的な音楽のジャンル

43 演劇の用語で、役者が登場のきっかけを間違えること。音楽家が演奏を始めるタイミングを間違えることもこう呼んだりする

44 ——を惜しんで楽器の練習をする

35 金は天下の回り物

お金に関する言葉が、頭の中をぐるぐる。

作●ししまる

➡ヨコのカギ

1 生活や勉学の援助として送るお金
2 金銭――　睡眠――　――張り
3 株で儲けようとして逆に大損
4 放牧中の動物の食べ物
5 1円のものには前島密の肖像
6 尺の1/10
7 外出時の交通にかかるお金
8 商品の販売やサービスの提供に対して課される
11 我が社の経営方針について――のないご意見をお寄せください
13 退去時にもどる可能性のあるお金
15 丈が長くゆったりした室内着
18 お金を――口座に振り込みました
20 権限や特典を授け与えること
22 見事優勝、勝利の――に輝く
24 昭和40年代の好景気は神武・岩戸を上回る――景気と呼ばれた
25 刻みたばこ用の伝統的喫煙道具
26 病気や怪我が治ったら贈る
27 甲殻類の脚肉に似せた練り製品
28 火のないところに――は立たぬ
29 かつて都があった奈良県の地。日本最古の貨幣といわれる富本銭が発掘されたりする
30 まわり――　別れ――　獣――
32 投資にはリスクがつきもの。だからこそ――がある
33 いわゆる一覧表
36 余分に支払うと返ってくるお金
39 お金をかけずに倹約生活

41 住まいを借りて払うお金
43 握ったり巻いたり散らしたり
45 投資などで資金を増やす財――
47 類は――を呼ぶ

⬇タテのカギ

1 就学困難な学生のために給付・貸与されるお金
6 靴下やストッキングを履いていない
9 断面は五角形っぽい夏野菜
10 いわゆる紙幣
11 お上からNGを食らった書物
12 お金を稼ぎ生活する＝――を食う
14 一定期間後に現金化できる信用証券
16 米国の代表的な株価指数、NY――
17 お金を預けた相手から一定割合で受け取る
19 募金箱に入れるお金もこれ
21 組織や団体を働かせるためのお金
23 預けてから満期日までは原則引き出せないお金
26 悪意を持って帳簿を手直し
27 昔の出来事を表す時制表現
29 1円硬貨はこの金属でできている
31 鳴き声から機織虫とも呼ばれる
34 土地のお値段
35 全体に対する割り合いのこと。利益――、還元――
37 ベニヤ　トタン　蒲鉾
38 紙幣の偽造防止に入れる
40 ユカタン半島に栄えた――文明
42 ベストの正反対
44 知り合いの――を頼って資金繰り

46 七五三の縁起物は——飴

48 国が歳入金の徴収手段として発行する証票。収入——

49 数が多くても非常に安価であるという四字熟語

36 ルールを守る

たくさんの法律で、社会は形作られています。

作●小銭国

➡ヨコのカギ

1 日本国──は、我が国の最高法規。国会議員その他の公務員は、尊重し擁護する義務を負う（第98・99条）
2 連立内閣を組む政党の一部が連立を──すると、政権の基盤が揺らぐ
3 法人を代表し、事務を処理する機関
4 ギリシャ神話に出てくる妖精
5 ⊖7の施行を──することは、⊖1第7条に定められた天皇の国事行為
6 真犯人的な色。法律用語ではない
7 衆議院の解散があった場合、解散の日から40日以内に行われる
9 我が国の初代総理大臣は──博文
10 閣議には、定例閣議、臨時閣議と、──閣議がある
12 ──総長は検察官のトップ
14 海外では政治家にこれを投げつけることで抗議の意を示すこともある
17 国会議員のお給料
19 契約書で当事者を表すのに使われる
21 政権交代を目指す（はずの）存在
23 一般的には禁止だけど特別にOK
25 部下の不手際を受けて給与の一部を
26 法的な「お気持ち表明」。詐欺や強迫によるものは取り消し可能
28 応答。政権の中枢はまともに──ができる人だけで構成してほしいもの
29 引っ込み思案な性格
31 これより高いものはないという
34 手品には種か──がきっとある
37 人間から仙人へ。──登仙

39 政治家に金銭問題が起こると責任を負わされがち
41 たいていの法律事務所の所長はこれ
42 教唆犯や幇助犯は、正犯に──するため──犯とも呼ばれる
43 波打ち際やみぎわともいう
45 懲役３年、執行──５年の判決
47 野球帽のこれは形が特徴的
49 天子の自称。日本国⊖1の上諭は、「──は、日本國民の…」と始まる

⬇タテのカギ

1 義務の反対語。しかし、これを行使するためには義務を果たさなければならないなどということはない
3 ↔着任。警察や自衛隊では──式という式典が行われたりする
5 犯罪被害者が捜査機関に対して犯人の処罰を求めること
8 内閣は、内閣総理──及びその他の国務──で組織される（⊖1第66条）
10 飲みすぎて意識が──とする
11 ──マネー＝お小遣い
13 都道府県の行政トップを補佐する人
15 狛犬では「あ」とセット
16 他人に八つ当たりして晴らす人も
18 現状、日本では夫婦は夫または──の氏を称することと定められている
19 犬は３日飼えば３年忘れないとか
20 ──口　──腹　──の目
22 移置や置き去りで生命・身体に危険をもたらす罪。保護責任者──罪は刑法218条に規定がある

1		11	15		26	30	35		46	50
		12		20		31			47	
2	8			21	27			42		
	9		16		28		36			
3			17	22			37			51
4		13		23		32		43	48	
		14	18		29		38		49	
	10			24			39	44		
5				25		33		45		52
6			19			34	40			
7							41			

24 大正から昭和への改元があったとき
　　の総理大臣は──禮次郎

27 一般的に、これが低ければ低いほど
　　組織票の効果が高まるとされる

30 何らかの仕事を請け負った人から、
　　さらに請け負うこと。──法により
　　──業者の保護が図られている

32 刑法学においては、行為無──論と
　　結果無──論の対立があるという

33 法律的には、誕生日前日の午後12時
　　に１つとる

35 プリーツともいう

36 契約書で当事者を表すのに使われる

38 きらって遠ざけること。裁判官等に
　　つき、訴訟当事者が──の申し立て
　　をすることができる

40 かつて東西ベルリンを隔てていた

42 手形法や小切手法の条文は、漢字と
　　これで表記されていて読みづらい

44 日本国⊖１の三大原則は、平和主義、
　　基本的人権の尊重と国民──

46 行政訴訟では、しばしば──の利益
　　の有無が争点となる

48 衆議院や参議院の──は、立法府を
　　司る三権の長といえる

50 かばん（金銭）、看板（肩書や地位）
　　とこれは、政治家が当選するために
　　必要な「三バン」と呼ばれる

51 ↔決算。衆参問わず、──委員会は
　　国政全般にわたる審議の場となる

52 ↔実子。──縁組については、民法
　　第４編にさまざまな規定がある

⑥「文学」

近代文学の作品名に１文字加えて並べ替え、別の言葉を作りました。
元の言葉と、余る１文字を当ててください。

例：かぶれ空（かぶれそら）　→　それから（夏目漱石）＋ぶ

1　姪も暇
（めいもひま）

2　苦言カノン日誌
（くげんかのんにっし）

3　殿も飼育
（とのもしいく）

4　人力車庫や
（じんりきしゃこや）

余る１文字を、１〜４の順に読むとできる言葉は何でしょう？

＊答えは P.111

第7章 大自然

広大な地球。多様な言葉。アタマを自由に。
マス目の中から、言葉を発見してしまおう。

37 日本の山や川

風光明媚な我が国なのです。

作●ねこあい護家

➡ヨコのカギ

1 山で柴刈りをした人と川で洗濯をした人に育てられた昔話の英雄の食料

2 京都──に登ると比叡山や生駒山などの遠くの山々が見られたりする

3 なかなか手に入らないもの。コマクサやミヤマウスユキソウもこれ？

4 中国地方には、大山や氷ノ山など、山を──と読む山名がよくある

5 ツッコミの相方がタイミングをずらす漫才のテクニック…ではない

6 富山の黒部川上流にある黒部ダムは黒──ダムとも呼ばれる

7 ⬇25の体を覆うが、ナマズにはない

8 信濃を出ると信濃の名がつく

11 上高地や尾瀬はマイカー規制がされている。これかタクシーで行こう

14 童謡『ふじの山』の歌詞は「あたまを──の上に出し」で始まる

15 昔は「富士山はコニーデで休──」と言っていたけど、今は「コニーデ・トロイデ・アスピーテ」などの分類や「休──・死──」の語はほぼ使われないのだとか

18 軽井沢の近くにあって、江戸時代に鬼押出しを作った➡15

19 ──中央新幹線は、赤石山脈や木曽山脈に穴を開けて通ることになる

21 見込み違い。たまに嬉しいのもある

24 川に──にかけた──橋が日本各地にあり、管理面で問題になっている

26 飯野山をはじめとする讃岐七富士や

27 金刀比羅宮の鎮座する象頭山がある

28 飛騨山脈の別名。梓川などの源流

29 山の多い場所も山に登る部活も

31 山の多い長野の名物。中に山菜などが入っている饅頭のような食べ物

33 青森の岩木山は、こうも呼ばれる

35 その近辺という意味の言葉

37 山で木を切るのにも使う鋸の英語。チェーン──、ジグ──

39 登山家や川で寒中水泳する人は──強い人が多そう。でも無理は禁物だ

40 ほとけさま。薬師岳や大日岳など、これの名のつく山も多い

42 キャンプファイヤーに似合う弦楽器

43 登山家は霧のことをこう呼ぶ。これがかかったら遭難に注意

43 雨水を流すもの。山と山が背比べをする昔話の中でも使われる

⬇タテのカギ

1 飯豊山と磐梯山の間ぐらいにある市で、ラーメンが名物

4 三角州じゃない方。黒部川の下流にあるのなどが有名

9 淀川を遡ると──湖に行き着く

10 スーツケースも頭陀袋も

12 √5の覚え方は、富士──鸚鵡鳴く

13 大阪と奈良を結ぶ国道308号線には「暗峠」という難所がありますが、さて暗を英語で何というでしょうか

15 家父の対義語。自分の母のこと

16 子馬、もしくは馬のこと。──ヶ岳という山が日本各地に何座かある

1	9	13		20		28		36	41	45
2				21	25			37		
		14	17		26		32		42	
3	10			22			33	38		
	11					29				
4			18						43	
		15						39		
5	12				27		34			46
6			19	23			35			
7		16		24		30		40	44	
8						31				

17 海の――とも山の――ともつかない
　　のなら川の――かもしれない

18 嘲笑したりすること

20 ⤵25クンならギョギョと言う時間帯

22 北陸地方の霊峰。ハワイのマウナケ
　　アやヒマラヤのダウラギリと同じ系
　　統の名づけ方

23 動物から取る接着剤

25 日本の海や川ではイトウとかスズキ
　　とかいうのが泳いでいます

27 山の高いところではこれが低いので
　　お菓子の袋がぱんぱんに膨らむ

28 やまとかわ。濁音にならない場合も

29 公共事業を請け負う業者などを昔は
　　「――日の丸」と呼んだ

30 斐伊川でよくとれた日本刀の材料

32 紀ノ川や熊野川などが流れる県

34 熊本にある巨大カルデラ周辺の地

36 山の険しい様子を表す漢語

38 玄界灘に浮かぶ神々の島

39 日本の川や湖に住み着いた外来魚と
　　して、ブラックバスと並んで有名

41 熊本県を流れる。富士川、最上川と
　　ともに日本三大急流の1つだとか

43 頂上を意味する英語の1つ

44 体が丈夫。大井川の川越し人足には
　　こういう人が多かったのだろうな

45 日本海←▲→太平洋

46 舞台のこと。今は2.5次元が流行っ
　　ているけど、歌舞伎の『吉野山』や
　　『吉野川』なんかもいいよね

91

38 自然の恵み

野菜やフルーツが盛りだくさんです。

作●いこいの森

➡ヨコのカギ

1 「甘藷(かんしょ)」とも呼ばれる根菜。石焼きにするとホクホクで甘ーい

2 豆腐や醤油などの原料。未熟なうちは枝豆と呼ばれます

3 漢字では「冬瓜」と書く大ぶりな野菜。煮物などにどうぞ

4 焼いたり、ゆでたり、破裂させたりして食べる夏野菜

5 フキにも通っている、細い繊維や線

6 細長いさやに入っている豆。さやごとゴマ和えや煮物などに

9 セーフとは違う、アウトの対義語

11 食べると物忘れを起こす、と言われている野菜。薬味などに使います

14 ケーキにのっていたら、最初に食べる？　最後に食べる？

16 フードロスを減らす取り組みは自然環境の――にもつながります

17 細ーく伸びた茎と、２つの葉っぱが特徴的な――ダイコン

19 傘の部分へ十字の飾り包丁を入れることもある、おなじみのキノコ

20 下級裁判所の裁判官

22 ベーコンを巻いてもおいしい野菜。グリーンやホワイトがあります

24 穴のたくさん空いてる断面が特徴。カラシを詰めた郷土料理も

25 出かける前などに行う「準備」

27 浜や磯から遠いところ

28 煮て良し、揚げても良し、蒸かしてバターを乗せても良し

30 春の七草の１つ。ダイコンの別名

31 漢字では「間八」と書く高級魚

34 鍋やヤカンの材料にもなるCu

35 葉が薄くてやわらかな野菜。⤵1やチャーハンに使います

37 秋ナスは食わすなと言われる人

➡タテのカギ

1 野菜を切って盛った料理。ドレッシングは何がお好み？

3 これが赤くなると医者は青くなる、と言われる野菜。ケチャップにもなります

5 目隠しをして棒でこれを割る遊びは夏の風物詩です

7 人事による部署替えや転換

8 合戦デビュー

10 海とちがい川や湖はだいたいこっち

12 福沢諭吉もおすすめしています

13 磨いておけば、身を助けるかも

15 ――柑は山口生まれ、愛媛育ちの柑橘類

16 晴耕雨読、雨の日はこれを読む

17 怪我などがすっかり良くなること

18 大活躍中の彼はまさに時代の――だ

20 バラで買わずにまとめてゲット

21 一利もないことに百個ある

22 闇の中でも撮影できる――カメラ

23 ――を忘れて熱中した

26 ゴルフなどで、ボールの軌道のこと

27 ジュースでも人気の橙色の果物。皮は煮て、マーマレードにどうぞ

29 困ったときに求めます

31 干したり、焼酎につけたりすると、
　　渋いものも甘くなる果物

32 スモールなハウス

33 根はお湯に溶かして飲んだり、餅状
　　のお菓子にもなる植物

34 空想上の生き物。――フルーツとい
　　う名前の果物もあります

35 積めばオオカミにも負けない家に

36 すりおろして使うことも多い香辛野
　　菜。豚肉と相性抜群

38 スパゲティもこれの一種

39 「777」など、同じ数字の連続

40 かぼすに似ている柑橘類。徳島県産
　　が有名です

41 漢字では「李」と書く果物。そのま
　　までも、ジャムにしてもおいしい

39 いろいろな植物

解けば心に花が咲く。あなたの知識が実を結ぶ。

作●まいなすよん

➡ヨコのカギ

1 日本の国花のひとつ。百円硬貨に描かれています
2 障子の骨部分
4 ユキウサギやニホンジカのサマー・ファッション
5 突き出た端のところ
7 青紫色の小さな花をつけるシソ科の植物。北海道などが有名
8 高層建築物
10 他人や機械に書かせたのではない
12 キク科の植物。根をキンピラなどにしていただきます
15 淡紅色の花を咲かせる植物。女子サッカー日本代表チームの愛称は——ジャパン
16 めでたい植物を3つ揃えて
18 『——の実』は島崎藤村作詞の歌
20 ぷっくりと盛り上がったところ
22 竜の胆と書く、秋に紫色の花をつける植物
23 ヒガンバナ科の植物。刻んでウドンなどの薬味にします
25 チルドレン
26 どんぐりを作ってくれる樹木の1つ
27 ヒガンバナ科の植物。すりおろすと薬効も匂いも強烈
29 アヤメ科の植物。花サフランという別名もあります
30 イエメンやエチオピア産の珈琲豆
31 満開の——を逃さず花見だ花見だ
33 薬草、香草のこと

35 アブラナ科の植物。葉も根も辛味が強く、生魚の臭み消しにする
38 ——枝に帰らず=覆水盆に返らず
39 コメ、ムギ、アワ、マメ、キビ、ヒエなどから5つをピックアップ
40 ホオズキやペチュニア、チョウセンアサガオは——科の植物
42 植物や動物を分類したそれぞれ
44 甘いとつけこまれるかも

⬇タテのカギ

1 竹冠に世。七月七日に飾ります
3 春の——は粥に、秋の——は愛でる
6 若葉を春の味として食す山菜
9 エラい人から賜るアリガタイ教え
11 俳句に原則必要なワード。季節感を担うので、植物名も多い
13 風鈴草や釣鐘草、乙女桔梗などの別名は——フラワー
14 ケシ科の植物。虞美人草やポピーとも呼ばれます
17 「花王」と称されるあでやかな花。「——散りて打ち重なりぬ二三片」（与謝蕪村）
18 ウコギ科の植物。葉は掌状
19 あらかじめおこなう
21 スペインの画家。シュルレアリスムの巨匠
23 水辺にしげるイネ科の植物。「難波潟短き——のふしのまもあはでこの世をすぐしてよとや」（伊勢）
24 端午の節句に葉を湯に入れ邪気払い
25 イネ科の植物。飼料だけでなく主食

1	9	■	23	■	28	32	■	40	45
2	■	■	18	■	29	■	36		
■	10	14	■	26	■		■		■
3	■	15	24	■	33	■	41		■
4		■	■	30	■		■	42	46
■	16	19	■		■	37	■		
5	11	20	■		■	38	■		
■	12	17	■	27	■	34	■		
6	■	■	25	■	35	■	43	■	■
7	13	21	■	31	■	44	47		
8	■	22	■		■	39			

として世界中で食べられている

26 むかし

27 ヒガンバナ科の植物。刻んで餃子に入れたりします

28 土の筆と書く、春の野山を彩る植物

30 漢字では２文字目が「蓮」だったり「蘭」だったりする植物。春に紫色の花をつけます

31 日照りのあとの恵みの雨

32 かえりみち

33 ヒガンバナが風に揺れ、先祖が眠る

34 ガーデンに植えてある樹木

36 樹木を英語で。クリスマス・──

37 茎や葉に酸を含む棘があり、触ると痛みを生じる植物

40 外ではなくて

41 二言がなかったり、食わねど高楊枝

だったりする人たち

43 日本最大の淡水湖。↓23をヨシと呼び、松明として燃やす行事がある

45 草冠に亡。旧暦の八月十五日に飾ります

46 フトモモ科の植物。コアラが葉を主食にします

47 日本の国花のひとつ。五十円硬貨に描かれています

40 天体と星座

月に行っても、クロスワードパズルを。

作●たいちゃん

➡ヨコのカギ

1 童話では北風と争う恒星
2 夜空を彩る星座に感動してほろり
3 星の数のようにたくさん
4 麻雀なら普通は4人
5 こんな色に見えるおうし座の首星・アルデバランの表面温度は約3000〜4000℃
6 黄道十二星座には順番があります。みずがめ座の次は――座、――座の次はおひつじ座
7 社交的な海獣。星座はひし形が目印
10 自分から行動しない
13 平成に続く年号
15 水星はマーキュリー、彗星はこれ
16 水の惑星・地球ならではのスポーツ
18 望遠レンズではるか遠くの海王星を――アップして観測
20 いて座の次は――座
21 てんびん座の南西に輝く、さそり座の赤い巨星
22 ↔北上。地球を――すると、見える星座も変化
24 ここのつの次
25 星座を眺めるプラネタリウム、携帯の電源は――にしてください
27 ランキング。88星座を大きさ(平方度)で――付けすると1位はうみへび座、2位はおとめ座
28 「狼」を英語で
31 ボキャブラリーともいう
34 天球儀は地上に対してこの方向から見るので、星座が地上とは反転
36 本当に融通のきかない人ね
37 ものごとの原因と結果
38 なすべき務め。――転嫁、――能力
39 みやびな調べ。月見の宴に合いそう
41 哲学者プラトンは宇宙が正――体で表せると考えた
43 ココアの原料
44 水の流れ。火星に痕跡があるらしい
46 ギリシャ語で「新しい」

⬇タテのカギ

1 織女星と牽牛星がやっと会える夜
4 かつての惑星。今は準惑星に分類
8 辞書を引いて調べる
9 町。山に比べると星は見えづらい
11 「しし座」を英語で
12 食べたいときや欲しいときにたらす
14 占星術で相性◎、夫婦になりました
16 展望台までのこれを登り切ると、頭上にきらめく星空が
17 イタリアはトレヴィ広場の名所
19 ↔マイナー
21 時間。夕日が沈みゆくマジック――、一番星見えるかな
22 風鈴の季節。はくちょう座がきれい
23 贈り物。指輪のような金環日食は、まるで宇宙からの――
25 「星」をセイと読むのは――読み
26 誰もいない小さな陸地。北極星を道しるべにイカダで脱出
29 ガリレオが発見した木星の第1衛星
30 双生児。星座は流星群で知られる

クロスワードパズル

1	8	12		■	25	30		39		48
2		■		21			35	■		
	■	13	17		■	31		■	44	
3	9	■	18		26	■	36	40		
■	10	14		■	27	32			■	
4			■	22			■	41	45	
	■	15	19			■	37			■
5	11		■	28	33		■	46	49	
6	■	20	23	■	34		42	■		
	16			29		■	43	47		
7		■	24		■	38				

32 畳を敷く場所
33 フランスの24時間レース開催地
35 「見える」力
37 いかめしい。──堂々
39 天王星は水素を主成分とする、巨大
　──惑星
40 地球によく似た土星の第6衛星
42 金星の別名「ヴィーナス」はローマ
　神話の美の女神。ヴォッティチェリ
　など様々な──の作品に登場します
44 銘柄を選んで投資
45 昔は望遠鏡をこう呼んだことも
47 横歩きする甲殻類。星座にもいる
48 三日月の形をしたパン
49 中央に三つ星、冬を代表する星座

41 古代の生き物

遥かなる太古に思いをはせて。

作● 猫砲

➡ヨコのカギ

1 古生代から現代までの、生物の痕跡が豊富な時代。隠生代に対する語

2 モノチスやイノセラムスやトリゴニアは、殻が2枚のこれ

3 位置が反対。ハルキゲニアの復元図は最初、上下——の姿でした

4 皿状のもの。恐竜は大きく鳥——類と竜——類に分けられます

5 恐竜が栄えたのは——紀と白亜紀

6 魚類や甲殻類のおもな呼吸器官

7 水の中で暮らす。今のクジラは——動物ですが、祖先は陸生だったそう

9 スノーボールアース。約7億年前に生物の大量絶滅をもたらした事件

12 化石が含まれていたりする大きな石

14 焼き鳥のメニューで、首まわりの肉

15 陸生⬇18動物が持っている呼吸器官

17 「——ザメ・メガロドン」や「——隕石により恐竜が絶滅」のように、古生物を語るときよく使われる熟語

19 詳しい人。消息——

20 ハサミと毒針つきの尻尾を持つ節足動物。姿が似ているウミ——はオルドビス紀〜ペルム紀に繁栄しました

22 草花の胴体部

23 生き物の死骸のこと

25 白亜紀の恐竜オヴィラプトルの名前の⬇10は「——泥棒」。ほかの恐竜が産んだ——を盗むと誤解されたためにつけられたのだとか

26 最下位の俗ないいかた

27 ➡5紀後期を代表する肉食恐竜。日本で初めて全身骨格が公開された恐竜でもあります

29 栗の実を包む外皮

30 首の長い現生動物。祖先のシヴァテリウムはあまり長くなかったみたい

31 初期の猿人サヘラントロプスの化石が出土した大陸

32 ——も隠れもしない

34 頭から突き出るカタい突起。トリケラトプスは——竜の仲間

35 三葉虫の体は——、胸部、尾部の3つに分かれています

37 三葉虫は——して外骨格を替えます

40 マンモスは第——紀更新世の動物

41 数百年前に絶滅した「恐鳥」

43 エディアカラ生物群は、⬇44紀より——の時代を生きた生物たち

⬇タテのカギ

1 旧石器時代の洞窟壁画にも描かれている、マンモスと同時代の奇蹄類。毛深犀と書くとおり、全身フサフサ

4 アノマロカリスやオパビニアは——動物群の代表選手

8 アンモナイトは8本足のタコや10本足の——と同じ頭足類の軟体動物

9 二元論だと悪の反対

10 元々のいわれ。ティラノサウルスの名前の——は「暴君トカゲ」だそう

11 酸——　中——　アルカリ——

13 会社などで地位を降格

15 背に——は替えられない

16 石炭・化石館「ほるる」やアンモナイトセンターがある福島県の中核市
18 ざっくりいうと背骨
20 年齢を数える単位
21 プテラノドンやケツァルコアトルス
23 最初の人。——鳥は最古の化石鳥
24 山などのてっぺん
26 新生代の示準化石であり、熱帯〜亜熱帯のマングローブ海岸の示相化石でもある⊖2。殻は巻いています
28 幸若——　二の——
29 「サーベルタイガー」ことスミロドンの鋭い牙は、ヒトでいうとこの歯
31 2023年ごろSNSを中心に国内で話題になった「サカバンバスピス」は無顎類、つまり——がない魚の仲間
32 別名はゴーヤー

33 太陽に灼かれた砂漠に広がる粒々
35 ステゴサウルスの尻尾の先には鋭い——がいくつもついていました
36 げんこつでゴツン
38 人類が進化していく過程で大きく発達した中枢神経系主要部
39 降水——　練習——　質より——
41 鍋や煮込みにする動物の内臓
42 お刺身に添えられています
44 ⊖1の最初は——紀
45 ホモ・エレクトゥスやホモ・ネアンデルターレンシスなどいろいろいた人類も、今や我々ホモ・——のみ

42 地球の材料

元素の周期表、おぼえてますか。

作●熊金照代

➡ヨコのカギ

1 腎臓が悪いと制限されることもある、生体に必須のミネラル
2 有機物に必ず含まれる元素
3 地中に埋蔵されている石油や鉱物は――資源
5 遠隔地へ単身――
6 自分の足でトボトボと進む
7 波乱の多い――な運命
8 ドクターやナースの仕事
10 多数派と意見が合わず排除されがち
12 太陽から地表へ届くエネルギー
15 化合物半導体の材料の1つ。強い毒性をもつ元素
17 書類や本などへ全体的に目を通す
18 ――関数　――測量
19 半導体素子の材料。シリコンともいわれる
20 乾電池や触媒としてだけでなく、人体にも必要なミネラル
21 解決すべきなれど保留されている事項
22 人が寝込んだり機械が故障したりして働かなくなること
23 終始その話題でもりあがる
24 空気より軽い性質を生かして、バルーンを浮かせるために注入したり
25 カレンダー　日めくり
28 会社や事業にお金で参加
29 ヤッホーと言えばヤッホーと応える
32 商品にあるとB級品に格下げ
33 世紀の大発見をした学者が記者――

で質問攻めに
34 世話をして整えること
35 すきときらいをまとめて
36 空気の体積の約80％を占める元素
37 ブリキはこれでメッキした↓34の板
38 一杯機嫌で回ってる
40 マグネチックな岩石は帯びている

⬇タテのカギ

1 分子模型で分子のこれについて学ぶ
4 コンピュータで――ウェアを起動
7 原子番号1といえば
9 ――学校　――副都心
11 我が国が初めて命名権をもった元素
13 天神様の使いといわれる、本当にいる鳥
14 構成するパーツ
16 29.5日周期で太ったり痩せたり
18 燃焼に必要な元素
19 モルヒネの元
20 ――医者　――外れ
21 刀さばきがお見事
22 ➡2だけで構成され、カラっと光り輝く宝石
24 相撲の立合いで、真っ向からあたらないで相手をかわす手法
25 酸化還元――　消化――
26 岩石や鉱物の研究はこの分野の一部
27 反応、反動。――芸人
29 鉱石からメタルを取り出す技術
30 「海岸でヒスイを見つけるなんてラッキーだね」「うん、ついてる！」
31 矢を飛ばすための道具

32 放射線遮蔽材に使われる重金属
34 不足すると貧血になるミネラル
35 O_2のように2つで1組の関係
36 ウメノキゴケやリトマスゴケなどは
　　──類です
37 石英の塊のなかで無色透明な鉱物
39 少々無理のある屁理屈や言い訳
41 あたりませんでした
42 燃やすと亜硫酸ガスを出す元素
43 傷つけること。名誉──

43 世界の山や川

各地の絶景を思い浮かべながら。

作●閑無月

➡ヨコのカギ

1　カウボーイが飼う
2　ヒマラヤ山脈にある世界8位の高峰。1956年に日本隊が初登頂
4　この競技は個々の力と共に中継のうまさも重要
5　↔仮名
6　国にとって大河や高峰は──の誇り
7　光あるところこれもある
8　テムズ河畔に建つイギリス名物
10　何かおかしいわねという──感
13　病人やケガ人の手当や見まもりをすること
15　山の天気は変わりやすいので急に降り出すが、長続きはしない
16　高山で貴重な「酸素」を表す英字
18　アツい意気込み。話が──を帯びる
19　アメリカ合衆国の首都ワシントンを流れる川。日本からの桜が植えられており花見もされている
20　フランス語です。山の鞍部。座れば尻が凝るなんてね
22　山のものでは『アルプス一万尺』や『フニクリフニクラ』川では『↓14河』や『ローレライ』など
23　アルプス山脈の最高峰
25　ヒマラヤ山脈の最高峰で超有名ですが、ここはチベット語で
27　山の天気は変わりやすく突然これが濃くたち込めることもあります
29　アラスカ山脈の最高峰。以前はマッキンリーと呼ばれていました

31　⊖23と呼ばれるケーキに使う木の実
33　中国文明発祥地を流れる大河
34　アンデス山脈に沿った細長い国
35　アマゾン川のピラニア、メコン川のどじょうなど
37　デュラム・セモリナがよく使われる
38　世界最長の川。青と白があります
39　糸のように細い雨
41　↔虚
42　雄大な景色に感動して思わず濡らす
44　青色の宝石

⬇タテのカギ

1　カウボーイが乗る
3　サバンナを見下ろすアフリカ最高峰
9　モーセが十戒を授けられた──山
11　バイカル湖西の山発北極海行大河
12　伝統的な建築法を今に伝える
14　フォスター作曲『──河』。年配の方なら原題『故郷の人々』の方で覚えているかも
16　パンゲア大陸はおよそ3──年から2──年前にあったという超大陸
17　ボルガ川と運河でつながっている川。ショーロホフ『静かな──』
18　正式にはフラン──。この生地で作ったパジャマで寝るんだ
19　つい見とれて(?)しまうようなイタリア北部を流れる川
20　ザイール川ともいうアフリカの大河は──川
21　有望な人材を発掘し引き抜く人
23　麦芽。──ウイスキー

24 ↔未知

26 分割払いで最初に支払う分

28 相撲　試し　時計　枕

30 ひいきめ。親の——

32 海や川に浮かべて漁に使います

33 遊び相手になったり㊀22で寝かしつ
　　けたりする役

34 ある特定の区域。風致——

35 人情とセットになりがち

36 千家　長屋　町　声　技

37 セーヌ河が流れる花の都

38 簡単には登頂できないアイガー北壁
　　ルートのようなところ

40 インドを流れる聖なる大河

42 事典などの記載漏れをフォロー

43 オーストラリアの有名な岩山。アボ
　　リジニの呼び方で

45 四角錐の姿が目を引くアルプス山脈
　　の高峰

46 ↔出

1

カ	ミ	ノ	ケ	■	ア	タ	マ	■	テ	キ
ガ	■	レ	イ	ス	イ	■	ス	イ	ブ	ン
ミ	カ	ン	■	キ	■	タ	メ	■	ク	■
■	イ	■	モ	ン	ダ	イ	■	フ	ロ	ク
ク	ダ	モ	ノ	■	ハ	ナ	ウ	タ	■	リ
リ	ン	■	イ	カ	■	イ	エ	■	ハ	ー
ー	■	サ	イ	ラ	イ	■	ス	イ	ミ	ン
ム	ス	メ	■	オ	ト	ウ	ト	■	ガ	■
■	イ	■	オ	ケ	■	ナ	■	シ	キ	フ
ス	ッ	ピ	ン	■	シ	ギ	カ	イ	■	ト
ミ	チ	■	ド	ウ	ガ	■	オ	ン	セ	ン

2

ア	ン	ク	レ	ッ	ト	■	シ	チ	ヤ	ク
シ	■	ツ	イ	■	ミ	ブ	ル	イ	■	ロ
カ	ワ	■	フ	ワ	■	シ	ク	■	ビ	ー
セ	ン	タ	ク	イ	タ	■	ハ	マ	カ	ゼ
■	マ	イ	■	シ	ル	エ	ッ	ト	■	ツ
パ	ン	■	チ	ヤ	■	モ	ト	■	ハ	ト
ン	■	シ	ヨ	ツ	カ	ン	■	ヨ	リ	■
チ	キ	ユ	ウ	■	ナ	カ	オ	レ	ボ	ウ
パ	ス	■	ム	ジ	■	ケ	ウ	■	テ	ラ
ー	■	マ	ス	カ	ラ	■	ジ	コ	■	ウ
マ	ル	ク	ビ	■	イ	シ	ヨ	ウ	モ	チ

3

オ	ニ	ギ	リ	■	カ	キ	■	ホ	レ	イ
ヤ	ジ	ン	■	レ	ジ	ヤ	ー	シ	ー	ト
ツ	ユ	■	ワ	キ	バ	ラ	■	イ	ト	コ
■	ウ	メ	ボ	シ	■	ク	ル	イ	■	ン
ヤ	■	カ	ク	■	ス	タ	ー	■	ハ	ニ
ツ	チ	ケ	■	サ	マ	ー	■	カ	シ	ヤ
カ	ジ	■	エ	ン	シ	■	ケ	ツ	■	ク
イ	■	ゲ	キ	ド	■	ス	イ	ト	ウ	■
バ	ラ	ン	■	イ	タ	イ	ジ	■	チ	ヤ
ラ	ン	チ	ボ	ッ	ク	ス	■	ヒ	ノ	キ
イ	ク	ヨ	■	チ	チ	■	ネ	ン	リ	ン

4

リ	ク	ツ	ヅ	キ	■	ケ	イ	リ	ヨ	ウ
ユ	ダ	ン	■	カ	ゼ	■	カ	ン	セ	ン
ウ	リ	ド	キ	■	ヒ	ガ	サ	■	ン	■
コ	■	ク	ン	シ	■	ウ	シ	オ	■	カ
ウ	キ	■	ケ	ー	テ	ン	■	カ	メ	ラ
オ	ン	シ	ン	■	ン	■	ア	カ	ダ	シ
ク	ウ	キ	■	ス	ト	ッ	ク	■	カ	メ
レ	■	チ	ヌ	キ	■	ケ	ダ	マ	■	ン
■	フ	■	ル	ー	ト	■	マ	イ	ツ	タ
シ	ラ	ハ	マ	■	ホ	シ	■	ナ	ガ	イ
ケ	イ	リ	ユ	ウ	■	タ	ン	ス	イ	コ

5

シ	ユ	ウ	ジ	■	ア	カ	エ	ン	ピ	ツ
ヤ	シ	ン	サ	ク	■	ズ	レ	■	ラ	ブ
ー	■	ロ	ボ	ツ	ト	■	キ	ノ	ミ	■
プ	ラ	■	ケ	■	メ	イ	ド	キ	ツ	サ
ペ	ー	ジ	■	フ	グ	■	ラ	■	ド	ン
ン	■	ハ	サ	ミ	■	フ	ム	キ	■	カ
シ	ボ	■	ラ	■	マ	チ	■	ジ	カ	ク
ル	ー	ズ	リ	ー	フ	■	フ	■	ド	ジ
■	ル	ル	ー	■	ユ	ニ	セ	フ	■	ヨ
エ	ペ	■	マ	マ	■	キ	ン	タ	ロ	ウ
マ	ン	ネ	ン	ヒ	ツ	■	シ	ゴ	ト	ギ

6

ウ	エ	ブ	コ	ミ	ツ	ク	■	シ	ー	ム
イ	キ	■	ア	リ	■	ラ	レ	ツ	■	シ
ジ	タ	ク	■	オ	フ	イ	ス	ソ	フ	ト
エ	ブ	リ	ワ	ン	■	ア	ト	■	ツ	リ
ツ	■	ツ	イ	■	ヘ	ン	ア	ツ	キ	■
ト	ウ	カ	■	コ	ビ	ト	■	カ	ン	ミ
■	イ	ー	ス	タ	ー	■	ペ	イ	■	ラ
フ	ル	■	イ	エ	■	モ	ン	ス	タ	ー
ア	ス	キ	ー	ア	ー	ト	■	テ	ン	サ
イ	■	イ	ツ	ワ	■	ネ	コ	■	カ	イ
ア	フ	ロ	■	セ	ン	タ	ク	ソ	ー	ト

第2章
食べ物

7
```
イ ン ス タ ン ト ■ ヤ キ ソ バ
ワ ■ ブ キ ■ シ ゴ セ ン ■ ン
ハ カ タ ■ メ ン マ ■ カ エ バ
ダ ツ ■ ニ ス ■ ダ シ ■ ビ ン
■ ア ブ ラ ■ ト ン コ ツ ■ ジ
ツ イ ン ■ タ マ ゴ ■ バ タ ー
メ ■ シ バ カ リ ■ ジ キ ソ
シ オ ■ ツ ノ ■ タ ン ■ ガ マ
ヨ ウ ジ ■ ツ カ レ ■ カ レ ー
ウ ■ ヤ キ メ シ ■ イ エ ■ ボ
ギ ョ ー ザ ■ チ ャ ー シ ュ ー
```

8
```
フ ラ イ パ ン ■ コ ロ ネ ■ ク
ジ ■ シ ン ■ ヤ キ ■ ザ ク ロ
ヨ シ ■ ク ル マ ■ シ メ ナ ワ
シ ナ カ ズ ■ ガ イ ロ ■ イ ツ
■ モ チ ■ カ タ ■ ゴ ゴ ■ サ
イ ン グ リ ッ シ ュ マ フ イ ン
ー ■ ミ ミ ■ ヨ カ ■ ク ギ ■
ス デ ■ ツ イ ク ■ キ ャ リ ア
ト ー ス ト ■ パ ン ツ ■ ス ゲ
キ タ イ ■ サ ン ■ シ キ ■ パ
ン ■ カ ヌ レ ■ シ ュ ト レ ン
```

9
```
ア ■ ア オ リ イ カ ■ ミ ナ ト
カ ク シ ■ コ セ イ テ キ ■ ウ
ミ サ ■ ボ ウ ■ テ ツ ■ ト キ
■ レ モ ン ■ シ ン カ イ ギ ョ
カ ズ サ ■ オ ケ ■ マ キ ■ ウ
リ シ ■ チ ャ ■ ウ キ ■ カ ワ
フ ■ ヤ ド ■ カ ニ ■ ワ イ ン
オ イ ナ リ サ ン ■ イ タ バ
ル イ ■ ア メ ■ マ ス ■ シ マ
ニ ■ イ シ ガ レ イ ■ シ ラ キ
ア ナ ゴ ■ ワ ツ カ ナ イ ■ ス
```

10
```
タ マ ゴ ド ウ フ ■ ア ダ ウ チ
ピ ■ リ ■ エ ン ミ ■ シ ■ ヤ
オ ム ラ イ ス ■ メ ダ マ ヤ キ
カ ス ■ カ ト キ ■ テ キ ■ ン
■ ウ ス メ ■ キ ミ ■ タ ミ ズ
ポ ■ コ シ ツ ■ コ ダ マ ■ シ
テ ツ ツ ■ ナ カ ■ シ ゴ ト
ト ■ チ ゲ ■ キ オ チ ■ ウ シ
サ イ エ ン ス ■ オ ヤ コ ド ン
ラ ■ ツ ■ ス ナ バ ■ ヨ ■ ウ
ダ ン グ ミ ■ サ ン ド イ ツ チ
```

11
```
パ ウ ン ド ■ マ リ ト ツ ツ オ
フ エ ■ ア カ シ ■ ウ マ ■ ペ
エ ル フ ■ リ ュ ウ ■ ミ イ ラ
■ カ タ キ ■ マ ノ テ ■ ノ
カ ム ■ ヤ シ ロ ■ イ タ リ ア
イ ■ フ ラ ン ■ ド ラ イ ■ ジ
ワ タ ア メ ■ モ ロ ミ ■ ビ ミ
シ ■ ル パ ン ■ ス イ ス ■
マ ヨ ケ ■ イ ブ キ ■ カ ケ ス
ル ■ ル イ ■ ラ ス ク ■ ツ ノ
タ ル ト タ タ ン ■ シ ャ ト ー
```

12
```
ミ ナ ヅ キ ■ チ マ キ ■ ネ コ
タ ナ ■ ナ ゴ ヤ ■ シ ベ リ ア
ラ ■ ゴ コ ク ■ ゲ ン ツ キ
シ オ ケ ■ イ ワ ン ■ バ リ ア
■ カ ン ロ ■ カ ス テ ラ ■ タ
ア キ ■ ト オ ダ ン ゴ ■ オ リ
コ ■ ヨ ウ カ ン ■ ナ マ コ
ヤ サ イ ■ モ ナ カ ■ ロ シ ア
■ オ ミ ク ジ ■ ノ レ ン ■ ン
モ モ ヤ マ ■ イ コ イ ■ ス パ
ミ ノ ■ デ ミ セ ■ カ ル カ ン
```

第3章 生き物

13

オ	オ	カ	ミ	■	エ	イ	ゴ	■	フ	エ
キ	ツ	ネ	■	フ	ビ	■	マ	ク	ア	イ
ア	■	メ	ダ	リ	ス	ト	■	ビ	ー	■
ミ	キ	■	マ	ッ	サ	ー	ジ	■	ス	ギ
■	ヨ	セ	■	タ	マ	■	ヨ	リ	ト	モ
カ	ウ	ン	タ	ー	■	ヒ	ャ	ク	ネ	ン
マ	ケ	イ	ヌ	■	ジ	ゲ	■	チ	ー	■
チ	ン	■	キ	ジ	ャ	ク	シ	■	ム	ダ
■	ビ	カ	■	ヒ	ツ	ジ	カ	イ	■	ン
コ	ヨ	ー	テ	■	カ	ラ	■	ノ	リ	テ
ロ	ウ	■	マ	イ	ル	■	ヨ	ウ	ツ	イ

14

ラ	ン	キ	ン	グ	■	カ	ワ	イ	ガ	リ
ン	■	ヤ	■	チ	キ	ン	カ	ツ	■	ン
グ	ソ	ク	ニ	■	リ	キ	■	テ	ア	シ
ド	■	セ	ン	ニ	ン	リ	キ	■	ツ	ツ
シ	ゴ	キ	■	ギ	ジ	■	ゲ	ッ	プ	■
ヤ	マ	■	ダ	リ	■	コ	ン	■	リ	ア
■	ア	ゼ	ン	■	テ	バ	■	ヌ	ケ	ゲ
ツ	ブ	■	ス	フ	イ	ン	ク	ス	■	ア
ク	ラ	シ	■	チ	ク	■	コ	ミ	ダ	シ
ダ	■	エ	イ	ヨ	ウ	カ	■	グ	■	ト
ニ	ホ	ン	ト	ウ	■	オ	モ	イ	ヤ	リ

15

■	ア	カ	イ	カ	■	コ	イ	ノ	ボ	リ
カ	ク	レ	ク	マ	ノ	ミ	■	バ	ン	ク
レ	ア	■	ラ	■	ウ	ミ	タ	ナ	ゴ	■
イ	リ	コ	■	エ	ビ	■	サ	■	レ	ツ
■	ウ	オ	ヘ	ン	■	ダ	ン	ゴ	■	ゴ
ヒ	ム	ロ	■	マ	ダ	イ	■	マ	ホ	ウ
ラ	■	ギ	ャ	ク	■	オ	ト	サ	タ	■
メ	シ	■	ツ	■	ス	ウ	■	バ	ル	ブ
■	シ	ャ	コ	ガ	イ	■	ハ	■	ジ	ツ
オ	ヤ	コ	■	イ	ソ	ギ	ン	チ	ャ	ク
ス	モ	ウ	ベ	ヤ	■	フ	デ	バ	コ	■

16

シ	マ	ア	ジ	■	キ	ク	イ	タ	ダ	キ
マ	■	ヒ	ョ	ウ	ジ	■	ド	ン	■	ツ
フ	リ	ル	■	ヨ	■	コ	ウ	ノ	ト	リ
ク	チ	■	ド	ク	タ	ー	■	ウ	ッ	ツ
ロ	■	ソ	ウ	■	バ	ラ	カ	■	ケ	■
ウ	コ	ツ	ケ	イ	■	ス	ル	メ	イ	カ
■	マ	■	シ	チ	ヤ	■	ガ	ン	■	ン
キ	ド	ク	■	ヨ	シ	ガ	モ	■	ハ	ム
カ	リ	ン	ト	ウ	■	ン	■	ア	ト	リ
ン	■	シ	ト	■	ヘ	ソ	ノ	オ	■	ワ
シ	ジ	ユ	ウ	カ	ラ	■	ア	ジ	サ	シ

17

カ	メ	レ	オ	ン	■	ト	カ	ゲ	■	サ
エ	■	ス	ト	■	カ	メ	■	キ	カ	ン
ル	イ	■	コ	コ	ン	■	ヨ	ド	オ	シ
■	モ	チ	ユ	ウ	■	ム	イ	■	イ	ヨ
オ	リ	ク	■	ウ	ラ	シ	マ	タ	ロ	ウ
タ	■	ネ	タ	■	セ	■	チ	イ	■	ウ
マ	ジ	ツ	ク	ハ	ン	ド	■	マ	カ	オ
ジ	ャ	■	エ	ラ	■	サ	キ	イ	カ	■
ヤ	ク	ブ	ツ	■	サ	ン	マ	■	シ	ダ
ク	シ	ン	■	ヘ	ビ	■	ワ	ニ	■	ツ
シ	■	ヤ	モ	リ	■	ミ	シ	シ	ツ	ピ

18

サ	ラ	ブ	レ	ツ	ド	■	ホ	ン	メ	イ
イ	ク	■	ミ	ダ	レ	ア	シ	■	イ	チ
キ	バ	タ	ン	■	ミ	ル	■	バ	ン	バ ン
ヨ	■	テ	グ	チ	■	フ	イ	ー	■	ン
ウ	ラ	ガ	■	ヨ	ク	ア	サ	■	イ	テ
■	イ	ミ	ョ	ウ	■	ル	イ	セ	ン	■
ミ	ス	■	オ	キ	ー	フ	■	ツ	ク	リ
サ	■	カ	キ	ヨ	■	ア	オ	ゲ	■	ヨ
キ	シ	ュ	■	ウ	カ	■	ウ	ン	ソ	ウ
ウ	ヨ	■	ポ	シ	エ	ツ	ト	■	ソ	バ
マ	ウ	シ	ロ	■	シ	ユ	ツ	ソ	ウ	バ

第4章
スポーツ

19

ボ	ウ	ギ	ョ	リ	ツ	■	カ	ラ	ブ	リ
ー	■	ヒ	コ	■	チ	キ	■	ツ	リ	ー
ル	イ	■	ク	ジ	■	テ	ン	キ	■	ド
■	ゴ	ム	■	シ	ュ	イ	■	ユ	ビ	■
ミ	■	シ	キ	ュ	ウ	■	ボ	ウ	ト	ウ
カ	タ	■	コ	ウ	シ	エ	ン	■	ク	ワ
タ	イ	ホ	ウ	■	ヨ	ビ	ダ	シ	■	テ
■	ム	ー	■	ヨ	ウ	イ	■	ヤ	ネ	■
ス	■	ム	ス	コ	■	ロ	ス	■	ギ	ダ
イ	ク	ラ	■	テ	キ	■	ウ	シ	■	ス
マ	ウ	ン	ド	■	シ	ン	ジ	ン	オ	ウ

20

キ	ッ	ク	オ	フ	■	ヌ	ー	ト	リ	ア
ー	■	ラ	テ	ッ	ク	ス	■	ジ	ョ	ブ
プ	リ	ン	■	ト	ラ	ッ	プ	■	ウ	ラ
■	カ	ケ	イ	ボ	■	ト	■	ト	ト	■
ク	イ	■	コ	ー	ト	■	ミ	ッ	ク	ス
リ	■	ワ	ー	ル	ド	カ	ッ	プ	■	ル
ア	ピ	ー	ル	■	ケ	イ	カ	■	ト	ー
■	ッ	ド	■	ナ	■	サ	イ	カ	ク	■
サ	チ	■	ア	ウ	エ	イ	■	タ	イ	リ
イ	ヤ	ク	■	マ	ス	コ	ッ	ト	■	ー
フ	ー	リ	ガ	ン	■	ク	ッ	キ	ン	グ

21

ド	ッ	グ	レ	ッ	グ	■	テ	ン	プ	ラ
ラ	■	リ	ジ	■	ラ	イ	ブ	■	レ	ツ
マ	ネ	ー	■	パ	ス	■	ク	リ	ー	ク
■	バ	ン	カ	ー	■	コ	ロ	■	オ	■
マ	リ	■	ラ	■	ラ	イ	■	ソ	フ	ボ
ツ	■	ホ	ー	ル	イ	ン	ワ	ン	■	ー
チ	ド	リ	■	イ	ン	■	カ	■	シ	ル
■	ラ	■	シ	ジ	■	ト	バ	シ	ヤ	■
ア	イ	ア	ン	■	ア	キ	■	ヤ	ツ	コ
タ	バ	■	グ	ウ	ジ	■	ラ	フ	■	ー
イ	ー	グ	ル	■	ア	ル	バ	ト	ロ	ス

22

オ	フ	シ	ョ	ア	■	パ	イ	オ	ニ	ア
オ	サ	■	ド	ル	フ	イ	ン	■	ジ	ク
ア	ク	ア	■	バ	ネ	■	ド	ク	■	テ
ラ	■	メ	マ	イ	■	ア	ネ	ツ	タ	イ
イ	オ	リ	■	ト	リ	ド	シ	■	イ	ブ
■	ム	カ	シ	■	ハ	■	ア	イ	ソ	■
テ	レ	■	ユ	ウ	バ	エ	■	ソ	ウ	サ
イ	ツ	キ	ノ	ミ	■	イ	ワ	バ	■	ー
ク	■	ゴ	ー	■	ミ	ヨ	■	ナ	イ	フ
オ	ト	■	ケ	イ	ホ	ウ	キ	■	ワ	イ
フ	イ	ー	ル	ド	■	シ	ョ	ウ	ナ	ン

23

■	フ	エ	ア	プ	レ	イ	■	コ	ツ	カ
ス	ト	ッ	ク	■	ア	イ	ス	シ	ョ	ー
ピ	ン	■	テ	マ	■	エ	テ	■	ミ	リ
ー	■	カ	ン	ゴ	シ	■	イ	タ	■	ン
ド	サ	ン	コ	■	ヤ	ジ	■	ビ	ッ	グ
■	セ	■	ウ	カ	ン	ム	リ	■	ア	■
フ	ツ	ソ	■	ネ	ツ	■	レ	シ	ー	ト
イ	■	チ	チ	■	エ	イ	ハ	ブ	■	リ
ギ	シ	■	ノ	ド	■	ギ	ン	■	ギ	ガ
ユ	キ	ド	ケ	ミ	ズ	■	メ	ジ	ャ	ー
ア	イ	ス	■	ノ	ー	マ	ル	ヒ	ル	

24

オ	ヤ	カ	タ	■	ス	モ	ウ	ジ	ン	ク
オ	■	コ	ワ	ケ	■	モ	チ	ャ	■	ラ
イ	ム	■	ラ	イ	セ	■	ド	ロ	ヌ	マ
チ	ス	イ	■	ヒ	イ	キ	メ	■	キ	エ
ヨ	ビ	ダ	シ	■	テ	ラ	■	ド	テ	■
ウ	■	テ	ン	ラ	ン	ズ	モ	ウ	■	ユ
■	キ	ン	■	イ	ト	■	シ	タ	ヨ	ミ
ギ	ャ	■	ト	ウ	オ	ウ	■	イ	ワ	ト
ヨ	ク	シ	ツ	■	カ	ナ	エ	■	キ	リ
ウ	■	ボ	タ	イ	■	ジ	ン	カ	■	シ
ジ	ュ	ウ	リ	ョ	ウ	■	マ	メ	マ	キ

答え

第5章 旅

25

```
トケイダイ ■ サドガシマ
ウン ■ テンキ ■ ウマ ■ ■ ツ
ジオラマ ■ チチブ ■ ■ ゴシ
ン ■ クサツ ■ イツクシマ
ボキ ■ ムラサキ ■ テキ ■
ウタタネ ■ ク ■ カンヌシ
■ キイ ■ シラヌイ ■ マユ
カツラハマ ■ タラコ ■ リ
ミネ ■ チネツ ■ クイイジ
ガ ■ タコ ■ タトエ ■ チヨ
タタキウリ ■ シンキロウ
```

26

```
トウカイ ■ カマドウマ
ー ■ モノレール ■ キ ■ ホ
トロッコ ■ キュウシュウ
■ ジ ■ リオ ■ ウ ■ ズーム
ヒツト ■ モリ ■ セミ ■ キ
ガク ■ ニシニホン ■ ジヨ
シ ■ セキ ■ アカ ■ シコク
ニカイ ■ ヒ ■ クキ ■ ア
ホツカイドウ ■ タテイシ
ン ■ ブ ■ ケンバイキ ■ テ
■ カツセイカ ■ チカテツ
```

27

```
トウコウセン ■ キスイコ
リ ■ ガメン ■ シモ ■ ドク
イゲタ ■ チキュウギ ■ ド
■ ハナオ ■ モト ■ ヨウチ
イン ■ フカン ■ トウドリ
ノ ■ ケイド ■ ツウキ ■ イ
ウグイス ■ コエダ ■ ドン
タンボ ■ テン ■ イソウ
ダ ■ ウロオボエ ■ クロジ
タニ ■ ガケ ■ ホハバ ■ イ
カシパン ■ サンカクテン
```

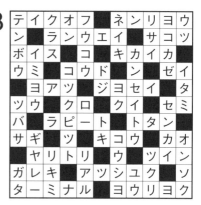

28

```
テイクオフ ■ ネンリョウ
ン ■ ランウエイ ■ サコツ
ボイス ■ コ ■ キカイカ
ウミ ■ コウドン ■ ゼイ
■ ヨアツ ■ ジョセイ ■ タ
ツウ ■ クロ ■ クイ ■ セミ
バ ■ ラピート ■ トタン
サギ ■ ツ ■ キコウ ■ カオ
■ ヤリトリ ■ ウ ■ ツイン
ガレキ ■ アツシュク ■ ソ
ターミナル ■ ヨウリョク
```

29

```
セイジョウキ ■ ゴギョウ
キン ■ ツマヨウジ ■ ミオ
ドドイツ ■ ウチュウセン
ウ ■ コジマ ■ キウイ ■ バ
■ ハク ■ ダイ ■ オンシツ
ヒシ ■ ヒコクニン ■ カト
ガラアキ ■ サガ ■ キク
シ ■ カカト ■ リシン ■ ヒ
アルジェリア ■ コシミノ
ジー ■ ケイジバツ ■ ラマ
アルペン ■ トリコロール
```

30

```
ウォールガイ ■ モスクワ
フン ■ ルイジアナ ■ ラン
アタリドシ ■ カコケイ
■ リガ ■ ヤツプ ■ ルンバ
オオイリ ■ カルメン ■ ヌ
ムコ ■ ヨテイコウ ■ ゴア
ス ■ マンイチ ■ エイジツ
クレタ ■ リンカ ■ キヨ
■ タイアン ■ イジョウフ
サツ ■ ピスタチオ ■ ゲン
シチリア ■ カンウオンド
```

第6章 文化

31

オウ		イ	カ	ロ	ス		カ	オ	ス
シ	ン	タ	ク		メ	イ	カ	イ	フ
リ		コ	ン	ト	ン		ロ		アイ
ス	ザ	ク		ロ		サ	ン	ビ	シン
	ツ		ア	イ	テ	ル		ー	ク
カ	ミ	ナ	リ		キ		ヘ	ル	メス
チ		イ		タ	イ	タ	ン		イ
カ	サ	ジ	ゾ	ウ		イ		コ	ロシ
チ	エ		ウ		マ	サ	カ	ド	ヨ
ヤ		オ	オ	カ	ミ		ホ	ウ	オウ
マ	ル	ス		マ	ー	リ	ン		ノリ

32

ヒ	ヤ	ツ	キ	ヤ	ギ	ヨ	ウ		フロ
ヨ	シ		ツ	ク	シ		シ	ヨ	コク
ウ	キ	ヨ	エ		ヨ	ハ		ツ	ウロ
シ		ウ	ン	キ		ダ	イ	ヤ	ク
ギ	タ	イ		ミ	ズ	ギ	ワ		ユビ
	タ	ク	ト		キ		シ	オ	ケ
カ	リ		ウ	イ	ン	ク		ジ	ツカ
グ		タ	キ	ビ		ウ	ワ	サ	ナ
ヤ	マ	イ		ツ	ノ		カ	ン	ザシ
ヒ	ト	ダ	マ		ツ	ク	モ		カバ
メ	イ		ヒ	ヤ	ク	モ	ノ	ガ	タリ

33

ア	サ	ミ		ア	ニ		ホ	ン	カク
カ	ケ		マ	ン	ホ	ー	ル		コイ
シ		マ	ユ		ン		マ	ト	ズ
オ	ニ	ゴ	ツ	コ		ア	リ	バ	イ
	チ		バ	ン	ダ	イ	ン		ツミ
ム	ジ	ツ		テ		バ		タ	コス
チ	ヨ		サ	ス	ペ	ン	ス		ダ
	ウ	エ	イ	ト		ク	リ	ス	テイ
ヒ		フ	ユ		ラ		ラ	ジ	ヌ
ゲ	シ		ウ	イ	ン	カ	ー		イガ
キ	ヨ	ウ	キ		ポ	ー		ヌ	スミ

34

	サ	イ	コ	ウ		バ	イ	オ	リン
バ	ラ	シ		カ	メ	ン		ヤ	ユ
ツ	バ		ヨ	イ	ン		シ		ウデ
ハ	ン	ノ	ウ		ク	ラ	リ	ネ	ツト
	ド	ク		タ	イ		ア	イ	ウチ
ボ		タ	イ	コ		ハ	イ	チ	リ
ウ	イ	ー	ン		カ	ン		ヤ	ク
ト	ロ	ン	ボ	ー	ン		コ	ー	ラス
ウ	チ		ウ		ソ	シ	ツ		シン
	ガ	ラ		ク	ウ	キ		ボ	ツカ
テ	イ	ン	パ	ニ		シ	ヨ	ツ	ク

35

シ	オ	ク	リ		カ	イ	キ	イ	ワイ
ヨ	ク		シ	テ	イ		リ	タ	ーン
ウ	ラ	メ		イ	ザ	ナ	ギ		スシ
ガ		シ	キ	キ	ン		リ	ス	ト
ク	サ		フ	ヨ		ア	ス	カ	ニ
キ	ツ	テ		キ	セ	ル		シ	ツソ
ン		ガ	ウ	ン		ミ	チ		テク
	キ	タ	ン		カ	ニ	カ	マ	サ
ス	ン		エ	イ	コ	ウ		ヤ	チン
ア	シ	ダ	イ		ケ	ム	リ		トモ
シ	ヨ	ウ	ヒ	ゼ	イ		ツ	リ	セン

36

ケ	ン	ポ	ウ		イ	シ	ヒ	ヨ	ウジ
ン		ケ	ン	ジ		タ	ダ		ツバ
リ	ダ	ツ		ヤ	ト	ウ		カ	タン
	イ	ト	ウ		ウ	ケ	コ	タ	エ
リ	ジ		サ	イ	ヒ		ウ	カ	ヨ
ニ	ン	フ		キ	ヨ	カ		ナ	ギサ
ン		ク	ツ		ウ	チ	キ		チン
	モ	チ	マ	ワ	リ		ヒ	シ	ヨ
コ	ウ	ジ		カ	ツ	ト		ユ	ウヨ
ク	ロ		オ	ツ		シ	カ	ケ	ウ
ソ	ウ	セ	ン	キ	ヨ		ベ	ン	ゴシ

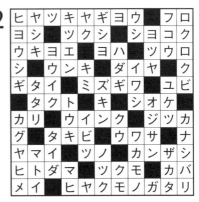

第7章 大自然

37

```
キ ビ ダ ン ゴ ■ サ ン ガ ク ブ
タ ワ ー ■ ゴ サ ン ■ ガ マ ン
カ ■ ク モ ■ カ ガ ワ ■ ガ ス
タ カ ネ ノ ハ ナ ■ カ イ ワ イ
■ バ ス ■ ク ■ オ ヤ キ ■ レ
セ ン ■ ア サ マ ヤ マ ■ ト イ
ン ■ カ ザ ン ■ カ ■ ブ ツ
ジ サ ボ ケ ■ キ タ ア ル プ ス
ヨ ン ■ リ ニ ア ■ ソ ー ■ テ
ウ ロ コ ■ カ ツ テ ■ ギ タ ー
チ ク マ ガ ワ ■ ツ ガ ル フ ジ
```

38

```
サ ツ マ イ モ ■ シ タ ク ■ ゾ
ラ ■ ミ ョ ウ ガ ■ ス ズ シ ロ
ダ イ ズ ■ シ イ タ ケ ■ ヨ メ
■ ド ■ ホ ゴ ■ マ ■ ド ウ
ト ウ ガ ン ■ ア ス パ ラ ガ ス
マ ■ ク ■ ハ ン ジ ■ ゴ ■ ダ
ト ウ モ ロ コ シ ■ カ ン パ チ
■ イ ン ■ ガ ■ オ キ ■ ス
ス ジ ■ カ イ ワ レ ■ レ タ ス
イ ン ゲ ン ■ レ ン コ ン ■ モ
カ ■ イ チ ゴ ■ ジ ャ ガ イ モ
```

39

```
サ ク ラ ■ ア サ ツ キ ■ ナ ス
サ ン ■ ヤ シ ■ ク ロ ツ カ ス
■ ジ ヒ ツ ■ カ シ ■ リ ■ キ
ナ ■ ナ デ シ コ ■ ハ ー ブ
ナ ツ ゲ ■ ヨ ■ モ カ ■ シ ユ
ク ■ シ ョ ウ チ ク バ イ ■ ー
サ キ ■ コ ブ ■ レ ■ ラ ツ カ
■ ゴ ボ ウ ■ ニ ン ニ ク ■ リ
ワ ■ タ ■ コ ラ ■ ワ サ ビ
ラ ベ ン ダ ー ■ ジ キ ■ ワ キ
ビ ル ■ リ ン ド ウ ■ ゴ コ ク
```

40

```
タ イ ヨ ウ ■ オ フ ■ ガ ガ ク
ナ ミ ダ ■ ア ン タ レ ス ■ ロ
バ ■ レ イ ワ ■ ゴ イ ■ カ ワ
タ タ ■ ズ ー ム ■ カ タ ブ ツ
■ ウ ケ ミ ■ ジ ュ ン イ ■ サ
メ ン ツ ■ ナ ン カ ■ タ メ ン
イ ■ コ メ ッ ト ■ イ ン ガ
オ レ ン ジ ■ ウ ル フ ■ ネ オ
ウ オ ■ ヤ ギ ■ マ ウ エ ■ リ
セ ■ サ ー フ イ ン ■ カ カ オ
イ ル カ ■ ト オ ■ セ キ ニ ン
```

41

```
ケ ン セ イ ダ イ ■ ア フ リ カ
ブ ■ イ ワ ■ タ マ ゴ ■ ヨ ン
カ イ ■ キ ョ ダ イ ■ ト ウ ブ
サ カ サ ■ ク キ ■ ニ ゲ ■ リ
イ ■ セ セ リ ■ イ ガ ■ モ ア
■ ゼ ン キ ュ ウ ト ウ ケ ツ
バ ン ■ ツ ウ ■ キ リ ン ■ サ
ー ■ ハ イ ■ ビ リ ■ ダ ツ ピ
ジ ュ ラ ■ シ カ バ ネ ■ マ エ
エ ラ ■ サ ソ リ ■ ツ ノ ■ ン
ス イ セ イ ■ ア ロ サ ウ ル ス
```

42

```
カ リ ウ ム ■ ヘ リ ウ ム ■ ハ
タ ン ソ ■ ケ ン ア ン ■ ス ズ
チ カ ■ サ ン カ ク ■ テ イ レ
■ イ ブ ン シ ■ シ ュ ッ シ
ソ ■ ヒ ソ ■ コ ヨ ミ ■ ヨ イ
フ ニ ン ■ ダ ウ ン ■ コ ウ オ
ト ホ ■ ケ イ ソ ■ ナ ン ■ ウ
■ ニ ッ シ ャ ■ ヤ マ ビ コ
ス ウ キ ■ モ チ キ リ ■ ジ キ
イ ム ■ マ ン ガ ン ■ チ ツ ソ
ソ ■ イ チ ド ク ■ カ イ ケ ン
```

やっと埋まった最後の１マス。
明日の私に期待して、今日はおやすみ。

43

ウ	シ	■	ネ	ツ	キ	■	コ	ウ	ガ
マ	ナ	ス	ル	■	チ	ヨ	モ	ラ	ン	マ
■	イ	ワ	■	ス	■	ク	リ	■	ジ	ツ
キ	■	ニ	ワ	カ	ア	メ	■	パ	ス	タ
リ	レ	ー	■	ウ	タ	■	チ	リ	■	ー
マ	ナ	■	ポ	ト	マ	ッ	ク	■	ホ	ホ
ン	■	オ	ー	■	キ	リ	■	ナ	イ	ル
ジ	コ	ク	■	モ	ン	ブ	ラ	ン	■	ン
ヤ	ミ	■	コ	ル	■	ネ	■	シ	ウ	■
ロ	ン	ド	ン	ト	ウ	■	ギ	ョ	ル	イ
■	カ	ン	ゴ	■	デ	ナ	リ	■	ル	リ

おまけ チマタグラム

①まいにち　　1…ドレッサー＋ま　2…傘立て＋い
　3…本棚＋に　4…二段ベッド＋ち
②あじつけ　　1…石狩鍋＋あ　2…月見そば＋じ
　3…揚げ出し豆腐＋つ　4…海老フライ＋け
③にんげん　　1…ヤマアラシ＋に　2…オットセイ＋ん
　3…アルマジロ＋げ　4…マントヒヒ＋ん
④かちまけ　　1…テコンドー＋か　2…クロスカントリー＋ち
　3…セパタクロー＋ま　4…砲丸投げ＋け
⑤がいこく　　1…ウランバートル（モンゴル）＋が　2…アンカラ（トルコ）＋い
　3…ストックホルム（スウェーデン）＋こ　4…ブラジリア（ブラジル）＋く
⑥ものしり　　1…舞姫（森鴎外）＋も　2…人間失格（太宰治）＋の
　3…蜘蛛の糸（芥川龍之介）＋し　4…金色夜叉（尾崎紅葉）＋り

クロスワード古今東西

2024年 5 月10日　初版第 1 刷発行
●発行人　安福良直
●編集人　竺友信
●発行所　株式会社ニコリ
　〒103-0007　東京都中央区日本橋浜町3-36-5-3F
　TEL:03-3527-2512
　https://www.nikoli.co.jp/ja/
●イラスト　　　　清水眞理　北条明
●カバーデザイン　大谷治之（オセロ）
●本文デザイン　　吉岡博
●印刷所　　　　　シナノ印刷株式会社